Hugh Lynn Cayce.

Hugh Lynn Cayce est bien connu comme conférencier, comme auteur et comme chercheur spécialisé dans le domaine des phénomènes psychiques et parapsychologiques. Il est également le directeur de l'Association pour la Recherche et l'Éclaircissement, une société qui se préoccupe de recherches dans le domaine du psychisme et dont le siège se trouve à Virginia Beach, en Virginie. Depuis la mort de son père, Edgar Cayce, en 1945, Hugh Lynn Cayce a pris en main les destinées de l'ARE (Association pour la Recherche et l'Éclaircissement) et s'est fixé pour objectif de préserver et d'étudier les documents particulièrement nombreux accumulés par son père tout au long de sa vie. L'organisation encourage ses membres à prendre part à des programmes d'études et de recherches continus.

De nombreuses interventions à la radio et à la télévision, ainsi que des conférences dans tout le pays, ont contribué à faire largement connaître Hugh Lynn Cayce, tant au niveau local que national.

M. Cayce est l'auteur de « Venture Inward », un ouvrage consacré à la recherche spirituelle et parapsychologique, basée sur les découvertes d'Edgar Cayce. Ce livre a été publié en collection de poche par Paperback Library, New-York.

Noël Langley.

Nouvelliste reconnu et scénariste à Hollywood, M. Langley demeure à Virginia Beach avec sa femme et ses enfants. Parmi ses plus grands succès figurent « The Search For Bridey Murphy », qu'il a écrit et dirigé à l'écran, et la pièce de théâtre « Edward, My Son », qu'il a rédigée en collaboration avec Robert Morley.

EDGAR CAYCE
ET LA RÉINCARNATION

EDGAR CAYCE ET LA SAGESSE DU NOUVEL ÂGE
Éditeur en chef: Charles Thomas Cayce
Éditeur du projet: A. Robert Smith

Déjà parus

- *Edgar Cayce, Les miracles de la guérison par les énergies du corps*
  William A. McGarey
- *Edgar Cayce, La croissance personnelle par les crises de l'existence*
  Harmon Hartzell Bro et June Avis Bro
- *Edgar Cayce, Éveillez vos pouvoirs psychiques*
  Henri Reed
- *Edgar Cayce, Le destin de l'âme ou le vrai sens de la vie*
  Mark Thurston
- *Edgar Cayce, Le temps qu'il nous reste, Recherche spirituelle et vieillissement*
  Richard Peterson
- *Edgar Cayce, Les mystères de l'Atlantide revisitée*
  Edgar Evans Cayce, Gail Cayce Schwartzer et Douglas G. Richards

À paraître prochainement

- *Les rêves: réponses actuelles aux questions futures*
  Mark Thurston
- *Réincarnation: connaissez votre passé pour créer votre futur*
  Lynn Elwell Sparrow
- *Les clés de la santé: promesses et défis de la médecine holistique*
  Eric Mein
- *La vie de Jésus-Christ, de ses origines cosmiques à sa seconde venue*
  Richard Henry Drummond

Autres ouvrages sur Edgar Cayce
parus chez le même éditeur

- *Edgar Cayce, les rêves et la réalité*
  Harmon H. Bro
- *Edgar Cayce et la réincarnation*
  Noël Langley
- *Les retours d'Edgar Cayce*
  W. H. Church
- *Edgar Cayce, les colères de la terre*
  Hugh Lynn Cayce
- *Edgar Cayce et la méditation*
  Herbert B. Puryear et Mark A. Thurston
- *Edgar Cayce, il est un fleuve...*
  Thomas Sugrue
- *Edgar Cayce, Les pierres qui guérissent*
  Edgar Cayce

EDGAR CAYCE
ET LA
RÉINCARNATION

par

Noel Langley

Sous la direction de
Hugh Lynn Cayce

Directeur de l'Association
pour la Recherche et les Éclaircissements (A.R.E.)

 Editions de Mortagne

Titre original
«Edgar Cayce on Reincarnation»
by Noel Langley
«This edition published by arrangement with
Warner Books, Inc., New York»

Édition
Les Éditions de Mortagne
250, boul. Industriel, bureau 100
Boucherville (Québec)
J4B 2X4

Diffusion
Tél.: (514) 641-2387
Téléc.: (514) 655-6092

Dépôt légal
Bibliothèque nationale du Canada
Bibliothèque nationale du Québec
2e trimestre 1982

ISBN: 2-89074-072-2

7 8 9 10 - 82 - 95 94

Imprimé au Canada

Table des matières

PRÉFACE

Edgar Cayce : qui était-il ?

Les livres consacrés à Edgar Cayce ont totalisé des ventes dépassant le million d'exemplaires. Plus de dix autres ouvrages ont traité, dans certaines de leurs sections, de sa vie et de ses talents. On a parlé de lui dans des dizaines de magazines et des centaines de journaux, depuis 1900 jusqu'à nos jours. Qu'avait-il donc de si unique, de si particulier ?

Cela dépend de la façon dont on le considère. Bon nombre de ses contemporains connaissaient Edgar Cayce en tant que photographe professionnel talentueux. D'autres, en particulier les enfants, l'admiraient en tant que maître de l'école du dimanche, chaleureux et amical. Sa propre famille reconnaissait en lui un époux et un père merveilleux. Mais Edgar Cayce était aussi et surtout un parapsychologue connu de milliers de personnes, de milieux sociaux divers, qui lui étaient reconnaissantes pour l'aide qu'il leur avait apportée. Sincèrement, plusieurs d'entre elles pensaient qu'il leur avait sauvé ou changé la vie alors que tout semblait perdu. Edgar Cayce était donc un médecin, un prophète, ainsi qu'un spécialiste des textes bibliques.

En juin 1954, l'université de Chicago accepta même de publier une thèse de philosophie consacrée à l'étude de sa vie et de son œuvre. L'auteur de cette thèse se référait à lui comme à un « mage religieux ». Cette même année, une bande dessinée pour enfants, « House of Mystery », lui décerna le titre impressionnant de l'homme le plus mystérieux d'Amérique.

Edgar Cayce est né le 18 mars 1877 dans une ferme proche de Hopkinsville, dans le Kentucky. Dès son plus jeune âge, il manifesta des pouvoirs de perception qui semblaient aller bien au-delà des possibilités de nos cinq sens. À six ou sept ans, il dit à ses parents qu'il était capable de voir et de parler à des « visions », parfois de proches parents récemment décédés. Ses parents attribuaient cela à l'imagination trop fertile d'un enfant solitaire, influencé par le langage symbolique et imagé qu'il pouvait entendre lors de réunions commémoratives, alors très en vogue dans cette partie du pays. Plus tard, alors qu'il dormait le nez sur ses livres de classe, il cultiva une forme de mémoire photographique qui lui permit de progresser rapidement à l'école. Cependant, ce don disparut peu à peu et Edgar se lança dans la vie active avant d'avoir terminé ses études secondaires.

À 21 ans, il travaillait comme vendeur pour un grossiste en papeterie. À cette époque, il fut atteint d'une paralysie des muscles de la gorge et faillit perdre l'usage de sa voix. Les médecins étant incapables de déterminer les causes physiologiques de cette maladie, il recourut à l'hypnose dont les effets ne furent que temporaires. En dernier ressort, Edgar demanda à l'un de ses amis de l'aider à retrouver cette sorte de sommeil hypnotique qui lui avait permis autrefois de mémoriser ses livres de classe.

6

L'expérience fut concluante et Edgar fut à même de comprendre les raisons de son affection. Il prescrivit lui-même les médicaments et la thérapie qui lui permirent de recouvrer sa voix et de se guérir définitivement.

Un groupe de médecins de Hopkinsville et de Bowling Green, dans le Kentucky, tirèrent parti de ce don absolument unique pour faire leurs diagnostics. Ils ne tardèrent pas à découvrir que Cayce n'avait besoin que du nom et de l'adresse d'un malade pour se « brancher » en télépathie avec le corps et l'esprit de celui-ci, aussi facilement que s'ils se trouvaient tous deux dans la même chambre. Il n'avait besoin d'aucune autre information concernant les patients; d'ailleurs les médecins ne lui en fournirent pas.

Un des jeunes médecins de cette équipe, le Dr Wesley Ketchum, soumit un rapport sur cette méthode peu orthodoxe à une société de recherche médicale de Boston. Le 9 octobre 1910, le *New York Times* publiait deux pages de textes et de photos sur l'événement. À dater de ce jour, des malades de tout le pays tentèrent d'obtenir l'aide de l'« homme miracle ».

Lorsqu'Edgar Cayce mourut, le 3 janvier 1945, à Virginia Beach, il laissa plus de 14 000 documents relatifs aux expériences de télépathie et de voyance qu'il avait lui-même effectuées avec plus de 6 000 personnes pendant quarante-trois ans. Ces documents ont été regroupés sous le titre général d'« Études ».

Ces Études sont l'une des plus impressionnantes collections de phénomènes parapsychologiques émanant d'un seul individu. Avec les notes, la correspondance et les rapports qui l'accompagnent, cette documentation constitue un vaste terrain d'investigation pour les psychologues, les étudiants, les écrivains et les chercheurs, intéressés par ces phénomènes.

Une fondation connue sous le sigle ARE (Association pour la Recherche et l'Élucidation, Inc., P.O. Box 595, Virginia Beach, Virginia, 23451) a été créée en 1932 pour préserver ces Études. En tant que société de recherche ouverte à tous, elle continue à répertorier des informations, à encourager la recherche et l'expérimentation, à organiser des conférences et des séminaires. Jusqu'à présent, les résultats de ces recherches ont été publiés et mis à la disposition des membres de la fondation sous la responsabilité unique de cette dernière.

Le présent ouvrage est exclusivement fondé sur les Études d'Edgar Cayce. Il rassemble des informations tirées de 2 500 études effectuées de 1925 à 1944 et qui traitent davantage de questions psychologiques que de considérations d'ordre physiologique. Les sujets principaux sont les craintes ancrées au plus profond de l'individu, les blocages mentaux, les dons, les difficultés matrimoniales, l'éducation des enfants, etc. Ils sont analysés à la lumière de ce qu'Edgar Cayce appelait les « modèles de karma », façonnés à partir de vies précédentes passées sur la terre par l'âme d'un individu.

Pour Edgar Cayce, le karma était une loi universelle de cause à effet qui procurait à l'âme des occasions de croissance, d'amélioration physique, mentale et spirituelle. Chaque âme – appelée « entité » par Cayce –, lorsqu'elle se réincarnait sur la terre dans un être humain, bénéficiait d'un accès subconscient, ou inconscient, aux caractéristiques, aux capacités mentales et à l'habileté accumulées au cours des vies précédentes. Toutefois, chaque entité devait également combattre des influences aussi néfastes que les émotions provoquées par la

8

haine, la cruauté, la peur, qui toutes ralentissaient sa progression.

Ainsi, la tâche d'une entité sur la terre est d'utiliser ses renaissances successives pour équilibrer ses modèles de karma positifs et négatifs, en réduisant ses impulsions égocentriques et en favorisant ses besoins de créativité. L'un des concepts les plus puissants de cette théorie concerne les questions légitimes que l'on se pose au sujet de la souffrance apparemment « inutile » qu'endurent les humains au cours de leur vie.

Le but de cet ouvrage est de présenter en termes simples quelques-unes des histoires étranges et passionnantes tirées de la documentation d'Edgar Cayce, qui pourraient conduire à l'élaboration d'une philosophie pratique pour la vie quotidienne.

Hugh Lynn CAYCE

1

« Ai-je déjà vécu auparavant ? »

Il faisait chaud en cet après-midi du 10 août 1923, dans la chambre d'un hôtel de Dayton, Ohio, lorsque le fameux voyant américain Edgar Cayce se réveilla de son sommeil hypnotique. Il ignorait encore qu'il allait vivre l'un des plus grands moments de sa vie.

Alors qu'il écoutait son sténographe lui lire la transcription de ce qu'il avait dit pendant son sommeil, Cayce, fervent protestant, lecteur assidu de la Bible, apprit avec un étonnement croissant qu'il venait de déclarer, froidement, que, loin d'être un mythe, la réincarnation était un fait indubitable.

Il pensa tout d'abord que les facultés de son subconscient avaient été soudainement manipulées par les forces du mal, faisant de lui leur instrument involontaire. Il se rappela également qu'il avait juré de renoncer à ses dons d'extralucide s'ils devaient le faire agir contre sa conscience.

Maintenant, sa confusion allant croissant, il était assis et écoutait le récit que lui faisait Arthur Lammers des paroles qu'il avait proférées. C'est Lammers qui avait exigé ces séances : il avait fait spécialement venir Edgar Cayce de Selma, Alabama.

Edgar avait soulagé les maux de nombreux patients grâce à ses « Études physiques », depuis plus de vingt ans, mais jamais encore on ne lui avait demandé de pénétrer dans le domaine interdit des forces occultes. Lammers, pour sa part, avait longuement étudié les phénomènes parapsychologiques et les religions orientales, à une époque où cela n'intéressait que de vieilles dames qui se réunissaient pour communiquer avec leurs petits caniches dans le paradis des chiens.

Lammers était aussi triomphant qu'Edgar était effrayé. Les questions dont il avait bombardé le parapsychologue avaient toutes reçu une réponse catégorique. Les derniers doutes de Lammers avaient été balayés.

Quant à Edgar, il se trouvait à un tournant de sa vie – certainement le plus important de tous ! Sa première réaction fut de s'enfuir. L'idée qu'un homme puisse vivre plus d'une fois sur cette planète, en tant qu'être humain, relevait pour lui du sacrilège et allait à l'encontre des enseignements du Christ.

C'était même pour lui un concept néfaste – illogique, défaitiste et macabre. Les meilleurs des chrétiens éprouvaient déjà assez de difficultés à garder leur foi en une vie éternelle. De plus, les mots insensés qui venaient de sortir de sa propre bouche ne lui paraissaient rien d'autre que du délire.

À l'encontre de celle de Lammers, son éducation tendait à une acceptation littérale de la Bible. Il prenait ses enseignements à la lettre, les répétait mot à mot à l'école du dimanche et en retirait un confort spirituel qu'il croyait inaltérable. Ainsi, il représentait pour Lammers le médiateur idéal pour voyager dans ces contrées étranges encore inexplorées.

Quelles auraient été les conséquences si Edgar avait déclaré forfait et avait pris le prochain train pour l'Alabama ? Probablement plus graves que ce que l'on pourrait imaginer. De grandes découvertes n'auraient jamais été faites et, accessoirement, ce livre ne serait pas entre vos mains. Les psychiatres n'auraient certainement jamais lancé la vaste controverse qui suivit la publication de *À la recherche de Bridey Murphy*[1] au milieu des années 50 – et, par-dessus tout, Edgar n'aurait pas accordé toute l'importance voulue à cette étape capitale dans sa longue quête de la Vérité éternelle. Bien qu'il fût mort depuis onze ans, l'attention que l'on porta à Bridey introduisit sa philosophie dans des sphères où elle n'avait encore jamais pénétré, permettant à ses enseignements de réconforter les faibles et les solitaires, de venir en aide à ceux qui n'avaient pas encore trouvé le réconfort nécessaire dans le vaste domaine de l'agnosticisme. Ce n'est qu'au moment où Edgar vainquit ses derniers doutes, ce jour-là à Dayton, et permit à Lammers de poursuivre ses questions, qu'un nouveau concept de réincarnation vit le jour. Ce nouveau concept ne s'opposait pas aux enseignements du Christ, mais menait à l'établissement d'une philosophie spirituelle suffisamment forte pour faire échec au cynisme de rigueur dans ce XXᵉ siècle particulièrement perturbé.

Edgar Cayce adopta comme règle de ne jamais convertir ou convaincre qui que ce soit en l'assommant de principes scientifiques. Il laissait à quiconque venait l'écouter l'entière liberté de juger; l'unique objectif de ce livre est de donner une

---

1. Paru aux Éditions J'ai lu, n° A 212.

image aussi claire que possible de sa théorie de la renaissance.

Plus de 2 500 personnes l'ont consulté pour connaître l'histoire de leurs vies précédentes sur cette planète. Et la première question qui vient à l'esprit est la suivante : « Cela a-t-il été d'un réconfort quelconque pour certaines d'entre elles ? » La réponse est positive, dans les cas où les Études ont été prises au sérieux et leurs conseils scrupuleusement suivis.

Comme on pouvait s'y attendre, un certain nombre de personnes, plus paresseuses que d'autres, continuèrent à mener le même style de vie qu'auparavant et laissèrent les conseils des Études jaunir sur les étagères d'une bibliothèque. Mais la grande majorité fut gagnante, à un titre ou à un autre. Quelques-uns réussirent même à transformer leur vie, pour en faire meilleur usage. Edgar leur apprit que tous les êtres humains avaient quelque chose en commun; leur potentiel spirituel ne fonctionnait complètement que lorsqu'ils se détournaient des préoccupations égoïstes, pour se concentrer sur l'aide à leurs semblables moins fortunés.

La première chose à faire, parce que la plus édifiante, est de se pencher en détail sur deux cas étudiés par Edgar Cayce. Dès que l'on a saisi les applications pratiques d'une expérience passée dans le comportement présent d'un homme, il devient plus aisé de traiter des implications plus vastes de la réincarnation. Celles-ci comprennent logiquement les lois inflexibles auxquelles la réincarnation se conforme, sa présence implicite dans la religion orthodoxe, ainsi que les raisons pour lesquelles elle a sans cesse été rejetée par les civilisations occidentales.

Le 29 août 1927, Alice Greenwood demanda une « Étude de vie » pour son jeune frère David, âgé de quatorze ans. Bien qu'Alice ait déjà fait l'objet d'une « Étude de vie », Edgar Cayce, ne connaissait pas son frère. L'épouse d'Edgar, Gertrude, dirigeait habituellement les séances; cette fois, cependant, les seules personnes présentes étaient le père d'Edgar, Leslie, qui remplaçait Gertrude, Gladys Davis, la sténographe, et Beth Graves, une invitée. Gladys Davis était la secrétaire d'Edgar, une femme loyale et fidèle qui assurait de manière irréprochable la transcription des séances. Tout ce qu'Edgar savait de David Greenwood tenait en quelques mots : c'était un bon élève, il achetait lui-même ses vêtements et ses livres de classe grâce à l'argent gagné en vendant des journaux, il collectionnait les timbres. Sa sœur ne possédait pas plus d'informations particulières sur son caractère.

Il faut également préciser qu'Edgar n'entreprenait jamais une « Étude de vie » sans l'assentiment du sujet lui-même ou d'une personne responsable de lui. Une fois sous hypnose, Edgar ne répondait qu'à une seule voix : celle de la personne dirigeant la séance. La moindre entorse à cette façon de procéder se traduisait immédiatement par le silence, ou par cette simple phrase : « C'est terminé pour l'instant. » Et il reprenait aussitôt conscience.

Lorsque cette procédure n'était pas respectée à la lettre, Edgar était mis en danger. Il lui arriva de rester en état de catatonie pendant trois jours et, à deux reprises, les médecins le laissèrent pour mort.

En réponse à la demande d'Alice Greenwood, Edgar procéda comme à son habitude. Il se coucha sur un divan, les mains croisées sur la poitrine, et respira profondément. Puis ses paupières s'agitèrent, signalant à son assistante qu'elle pouvait entrer en contact avec son subconscient en lui suggérant une « Étude de vie ». À ce moment, la requête écrite d'Alice, qui demandait de l'aide pour son frère, fut lue. Peu à peu, le battement des paupières d'Edgar se calma, il dépassa le stade de la transe pour parvenir à un profond sommeil, duquel personne ne pouvait le tirer; lui seul pouvait prendre la décision de se réveiller.

Son assistante commença alors à communiquer avec lui : « Vous allez avoir en face de vous l'entité David Roy Greenwood, née le 26 août 1913, entre les comtés de Perry et de Hale, au nord de Greensboro, en Alabama. Vous définirez la relation entre cette entité et les forces universelles, vous préciserez les composantes de sa personnalité, latente et manifeste, dans sa vie actuelle; vous indiquerez également ses apparitions antérieures sur la terre et les noms sous lesquels elle est apparue. Vous donnerez tous les éléments ayant contribué à améliorer ou à retarder son développement dans chacune de ses vies, ainsi que les capacités de l'entité actuelle, ce à quoi elle peut aspirer, et comment. »

Une pause suivit, durant laquelle le subconscient d'Edgar entra en contact avec celui de David Greenwood. (Si cette Étude n'avait eu pour objet que la santé physique de David, il aurait été impératif pour Edgar de connaître l'emplacement exact de l'enfant à ce moment précis, au même titre qu'une station de repérage doit connaître la position exacte d'un satellite avant d'établir le contact radar.) Puis il commença à parler, tranquillement, d'une voix monocorde.

Il commença par dire que la plupart des caractéristiques actuelles de l'enfant consistaient en intincts latents plutôt qu'en traits assimilables à un effort de volonté. « Certaines indications laissent supposer qu'il bénéficie d'une bonne constitution, avec toutefois une tendance à la fragilité du système digestif. Pour cette raison, l'entité doit être mise en garde contre les excès pouvant occasionner des troubles de la digestion. »

Nul ne se doutait de ces éventuels troubles digestifs chez le jeune garçon. C'était là un excellent exemple du pouvoir de prescience d'Edgar Cayce. Il s'employa ensuite à louer la nature aimable de David, tout en lui suggérant d'apprendre à modérer son tempérament vif avant que cela ne devienne un problème.

Il avertit que, sans le recours à une volonté forte et responsable, et sans une foi religieuse sincère, les impulsions de l'enfant pourraient lui nuire.

Selon la mémoire inconsciente de l'enfant, acquise dans ses vies précédentes, sa meilleure chance de succès était de l'associer à des hommes d'affaires travaillant dans le domaine « des matériaux, des vêtements et d'autres objets de nature semblable. C'est dans cette direction qu'inclinent les penchants de l'entité... avec ses capacités à se faire des amis, c'est dans cette direction qu'il faut l'orienter... l'entité a besoin d'une éducation qui le conduise dans cette voie, le plus rapidement possible, pour lui fournir l'occasion nécessaire à ce genre de développement ».

Puis il s'employa à décrire la vie de l'enfant ayant précédé celle qu'il était en train de vivre.

Cela se passait à la fin du règne de Louis XIII et au début de celui de Louis XIV, en France. Edgar se référa à une rébellion, pouvant bien être le soulèvement contre la Reine Mère et le cardinal Mazarin, qui se prolongea de manière intermittente d'août 1648 jusqu'à son écrasement par le prince de Condé, en juillet 1652. David s'appelait alors Neil et occupait un poste relativement important à la cour du roi, une sorte de maître styliste, personnellement responsable de la garde-robe royale.

Neil servait fidèlement son roi et Edgar affirma qu'il récolterait les fruits de sa dévotion passée dans sa vie actuelle – comme une sorte de médaille de bonne conduite, qui se transmettrait d'une existence à l'autre.

De quelles autres caractéristiques avait-il encore hérité ?

« On constate, dans le présent, le besoin d'être vêtu de manière originale, ainsi que la capacité de décrire avec précision l'habillement d'un groupe entier de personnes, pour autant qu'il fasse preuve de concentration. »

Il faut mentionner ici que ces Études recouraient souvent à une phraséologie pédante, se basant sur des termes prudents et vagues, et ceci pour une très bonne raison. Le subconscient d'Edgar Cayce, dans ce cas particulier, traitait avec le français du XVIIe siècle, qu'il devait ensuite transposer en termes d'anglais moderne.

Le subconscient n'est en aucun cas constitué de matière tangible; seule la pensée existe. Pour cette raison, les différents langages ne forment qu'un. Le risque d'une mauvaise interprétation n'apparaissait qu'au moment où Edgar se mettait à parler à haute voix. D'où son souci permanent de restituer le sens intégral de la pensée, après avoir réussi à transposer les images mentales de son subconscient en langage compréhensible par tous.

Ce soin et cette prudence devenaient de plus en plus nécessaires au fur et à mesure qu'Edgar remontait dans le temps et était confronté à des idiomes tombés en désuétude et qu'il n'aurait de toute façon pas été capable de reproduire. Dans de pareils cas, sa tâche n'était pas tant de traduire d'un langage à un autre que de paraphraser des symboles inintelligibles dans leur équivalent moderne le plus proche.

Bref, il devait faire sauter le verrou du code, exactement comme les archéologues doivent réduire d'anciens signes à leurs équivalents grammaticaux modernes.

Edgar remonta ensuite à la vie qui avait précédé l'incarnation française de David. On se retrouva alors dans l'isthme de Thessalonique, sur la côte grecque de la mer Égée. Là, dans une ville appelée Solonika, il vécut sous les traits d'un marchand nommé Solval. Aucune date précise ne fut donnée, mais Edgar fit référence à une époque instable où un gouvernement fut remplacé par un autre; Solval avait atteint une position relativement importante, dont il ne sut pas tirer profit par la suite. Pour cette raison, il avait perdu certains bénéfices qui auraient pu lui être utiles dans sa vie présente. Néanmoins, « les influences de cette vie dans le présent peuvent être considérées sous l'angle de sa capacité à s'adapter à n'importe quelle situation et à étendre le champ de ses relations. L'amour pour sa famille, ainsi que pour ses amis, doit aussi être considéré en fonction de cette expérience ».

La vie précédente de Solval pourrait bien avoir coïncidé avec les invasions d'Alexandre le Grand et la conquête de la Perse. La division régnait dans le pays et le garçon, qui se prénommait alors Abiel, réussit à prendre avantage de cette époque troublée pour se hisser au rang de médecin de la cour. Là, les intrigues de palais et la corruption ne manquèrent pas de l'affecter et, bien qu'il fît mauvais usage de son autorité, il parvint néanmoins à maintenir sa position privilégiée malgré les menaces de persécution que les conquérants faisaient planer sur lui.

On pouvait aussi remarquer l'influence de cette existence dans la vie présente de David : celui-ci se sentait irrésistiblement attiré par « l'étude de la chimie... l'envie de devenir un médecin ». Tout cela était parfaitement louable; mais, au lieu de l'encourager dans cette voie, on lui conseilla d'attacher davantage d'importance à son expérience ultérieure de marchand, en Grèce.

En d'autres termes, le jeune garçon devait renoncer à réaliser son rêve de devenir médecin. En effet, son tempérament s'accorderait mal avec cette profession, et son penchant pour les intrigues, qui lui venait de la cour de Perse, pourrait bien resurgir; mieux valait laisser ces souvenirs au plus profond de son subconscient. Puis, Edgar remonta encore dans le temps, pour parvenir à la limite de la préhistoire – en Égypte, pendant une de ses invasions par une peuplade étrangère. Il devenait maintenant possible d'identifier les facteurs récurrents dans le long cheminement de l'âme de David. À la fois en France et en Perse, il avait bénéficié des privilèges de la cour royale. Sa première expérience en Perse, où il s'était familiarisé avec les habitudes des gens de son rang, lui avait permis de s'adapter sans aucune difficulté à la cour royale française. D'autre part, le fait de vivre à deux reprises dans des pays ayant eu à subir l'invasion de peuples et de cultures ennemis lui avait donné une vision assez claire de la psychologie des foules.

En Égypte, son nom était Isois et, là aussi, il réussit à s'adapter aux nouveaux conquérants. Parti de presque rien, il devint une espèce de prédicateur laïque, qui jouissait de la confiance de son peuple. Et les prêtres de la nouvelle dynastie lui confièrent le rôle de « messager » pour faire accepter leurs croyances religieuses.

« Ainsi, il fut l'un des premiers dans le pays à arborer un vêtement particulier, qui le distinguait de tous. »

Isois avait acquis une telle célébrité en prenant soin du bien-être de ses semblables que l'on trouvait encore des reliques, dans les ruines de l'ancienne Égypte, commémorant sa sainteté. Après sa mort, on l'adora comme un saint ou une divinité mineure. « L'entité gagna beaucoup avec cette expérience et ce gain se manifeste dans le présent par sa capacité à s'adresser aussi bien aux foules qu'aux individus. »

Au cours de sa longue histoire, l'Égypte a été envahie à plusieurs reprises. Mais la présence de prêtres parmi les conquérants, à l'époque où vivait Isois, laisse supposer que cette période était antérieure aux invasions des Babyloniens et des Éthiopiens et devait correspondre à l'invasion des Aryens. Cela situerait l'existence d'Isois vers l'an 10 000 avant Jésus-Christ, ce qui est assez lointain pour une âme.

Ensuite, Edgar revint sur le sujet controversé de l'Atlantide, que la science rejette comme pure légende, et qu'il décrivit comme trois immenses masses terrestres au milieu de l'océan Atlantique. Selon lui, ce continent aurait été peuplé par une civilisation bien plus avancée que la nôtre, possédant la maîtrise parfaite de l'énergie nucléaire et ayant par elle entraîné sa propre destruction et l'immersion du continent. D'importants groupes de survivants atteignirent les rivages d'Amérique centrale et d'Amérique du Sud, ainsi que d'Afrique du Nord; un autre groupe, mal assimilé en raison de son isolement, a survécu dans le Pays basque.

Les informations concernant l'Atlantide dans les dossiers d'Edgar Cayce sont suffisamment importantes pour justifier un livre à elles seules; la référence à ce continent reviendra à plusieurs reprises dans cet ouvrage, mais il suffit de préciser pour l'instant que la civilisation qui y a vécu dura environ 200 000 ans, pour disparaître finalement aux alentours de l'an 10 000 avant Jésus-Christ.

« L'entité se trouvait sur le continent de l'Atlantide, lorsque les flots l'ont submergé. L'entité s'appelait alors Amiaie-Oulieb. »

Amiaie-Oulieb était l'héritier du trône. Ainsi, dès sa première existence en tant qu'entité, du sang royal coulait dans ses veines. En dépit de sa mort prématurée, il avait vécu suffisamment pour prouver qu'il manquait de discipline et d'habileté pour occuper cette fonction. Mais « cette incarnation doit être considérée sous l'aspect de sa capacité à connaître les matériaux, spécialement ceux destinés à l'habillement ».

En considérant la succession de ces vies, on s'aperçoit que seule l'une d'entre elles n'a aucun rapport avec l'habillement et les vêtements de cérémonie. Les vies mentionnées par Edgar Cayce n'étaient pas nécessairement les seules apparitions de l'entité sur la terre. Mais elles furent les seules à exercer des influences positives dans la vie que commençait maintenant l'entité. Cela devint évident au moment où Edgar résuma les talents potentiels de David Greenwood, avant de clore son Étude :

« Les capacités présentes de l'entité doivent être

portées à sa connaissance, afin qu'elle puisse en tirer parti du mieux possible.

» Il faut tout d'abord être conscient de l'existence de certaines forces pouvant s'exercer au détriment du bien-être physique, par le truchement du système digestif. Par conséquent, il conviendrait de suivre des régimes alimentaires spécifiques, tenant compte de ces conditions.

» Au niveau de l'élévation du corps et de l'esprit, l'entité doit s'appliquer à acquérir la meilleure connaissance possible de sa relation à l'énergie créatrice. Pour cela, elle doit s'attacher aux enseignements spirituels.

» Dans un sens plus matériel, l'entité doit se tourner vers les affaires, usant par là de ses capacités à déterminer les besoins d'un individu et d'entretenir avec lui des relations de commerce.

» Reste physiquement, mentalement et spirituellement sain. Choisis soigneusement celui que tu vas servir; en effet, nul homme ne saurait servir deux maîtres à la fois.

» Respecte la loi, car elle convient à la relation de l'homme avec Dieu. Reste pur des taches de ce monde. Ne te contente pas d'être un témoin, mais un serviteur du Créateur.

» C'est terminé pour l'instant ! »

Le compte rendu de cette Étude fut dactylographié et envoyé aux parents de David. Elle avait toutefois si peu de sens pour eux qu'ils ne jugèrent même pas nécessaire de la lui donner à lire. Mais heureusement, sa sœur la conserva. Elle fit mettre l'Étude en lieu sûr et ce cas ne réapparut plus dans les dossiers d'Edgar jusqu'au 22 août 1934, sept ans plus tard.

À ce moment, David, qui avait alors 21 ans, était le principal soutien de sa mère et de son autre sœur. Il gagnait un modeste salaire en occupant un poste subalterne dans le journal d'une petite ville et n'avait que très peu d'espoir d'avancement. Il se sentait à la fois frustré et inquiet lorsqu'Alice se décida finalement à lui montrer son Étude et lui suggéra de mettre en pratique les conseils qui y figuraient.

La réponse de David fut peu chaleureuse. Il n'avait pas de problème digestif; il n'avait aucune attirance ni aucune aptitude pour le marché de l'habillement; l'idée de réincarnation le laissait absolument froid; bref, tout cela lui semblait parfaitement ridicule. Il admit cependant que rien ne pouvait être pire que de passer le reste de ses jours dans un bureau obscur de ce petit journal.

Et ce n'est qu'au printemps 1940 que la sœur de David réussit à le convaincre de se rendre à une invitation qu'elle avait obtenue pour lui. Deux responsables d'une fabrique de vêtements, spécialisée exclusivement dans la confection d'uniformes, souhaitaient le rencontrer. Ces deux personnes connaissaient Edgar Cayce, qu'ils tenaient d'ailleurs en haute estime. C'est pourquoi l'Étude de vie de David ne leur laissa aucun doute : il devait posséder une inclination naturelle pour ce genre de commerce. Ils lui offrirent donc un poste de vendeur itinérant. Il s'occuperait plus particulièrement des uniformes universitaires.

En une année, David se montra si compétent qu'il ajouta plusieurs États du Sud au territoire qui lui était imparti, surpassant tous les autres vendeurs de la compagnie, bien qu'il fût le plus jeune et le moins expérimenté.

En février 1943, il fut classé 4F dans l'armée américaine. Motif : allergie à certains aliments. Son

Étude de vie avait bien précisé qu'il serait sujet à des troubles du système digestif !

La guerre et les problèmes économiques qu'elle entraînait mirent fin à sa carrière florissante dans le commerce. David décida alors de travailler pour un des plus grands centres d'approvisionnement de l'armée, où une moyenne de 1 500 officiers venaient chaque semaine s'équiper pour le combat.

En juillet de la même année, il fut promu au magasin d'habillement. À la fin de la guerre, il retourna dans la firme qui l'avait employé précédemment, pour être l'unique responsable de la section de vente au détail. Les deux propriétaires, quant à eux, s'occupaient de réorganiser le département des ventes en gros. Désormais convaincu du sérieux d'Edgar Cayce, Greenwood continua à travailler en étroite collaboration avec lui. Un fait nouveau apparut lors d'une Étude ultérieure : les problèmes de digestion dont il avait hérité étaient une conséquence de son amour pour une nourriture trop riche; en effet, à la cour du roi de France, Neil était réputé pour ses excès gastronomiques. Greenwood suivit donc un régime extrêmement strict, non seulement pour s'écarter des effets néfastes de cette vie antérieure, mais aussi pour éviter de s'infliger de telles punitions dans les vies qui l'attendaient encore !

Ce cas n'est pas unique dans les 2 500 Études de vie effectuées par Edgar Cayce. Il permet de montrer de quelle manière les capacités latentes d'un garçon de 14 ans ont été dévoilées par Edgar Cayce, lui évitant ainsi de rester effacé et improductif tout au long de sa vie.

Edgar vécut assez longtemps pour voir David Greenwood hériter de la destinée qu'il méritait.

Le pouvoir prophétique de Cayce se révéla aussi

de façon notable lorsqu'il se pencha sur le cas de Grover Jansen.

L'appel de la liberté

Lorsqu'Edgar Cayce fit cette Étude de vie en 1939, Grover Jansen se trouvait dans une position bien plus enviable que celle de David Greenwood. Étudiant âgé de 19 ans, Grover Jansen avait des doutes quant à son avenir et n'était attiré par aucune profession en particulier.

Edgar fut très clair à ce sujet. Durant sa vie antérieure, à l'époque de la guerre d'Indépendance, Grover avait travaillé comme agriculteur; sa tâche consistait à estimer le rendement possible d'un terrain donné, pour le compte de l'armée. Ainsi, il connaissait parfaitement la fertilité, ou au contraire la stérilité, des régions où devaient se dérouler les grandes batailles de cette guerre.

« L'entité, dont le nom était Elder Mosse, était associée à André, à Arnold, Lee et Washington, dans des régions situées dans la partie supérieure de ce qui est maintenant l'État de New York... à partir de là, nous allons trouver dans le présent des montagnes et des cours d'eau, et toutes les activités liées aux prouesses du monde physique. La nature exerce une influence subtile sur l'entité, notamment dans ses choix pour traiter avec autrui. »

Dans la vie précédant celle-ci, le jeune homme avait vécu dans l'Empire romain, au moment de sa plus forte expansion.

« Là, l'entité fut choisie par au moins trois empereurs – les premiers Césars – pour aller travailler en Angleterre, en Irlande, dans certaines parties de la France, de l'Espagne et du Portugal, aussi bien que sur la côte nord de l'Afrique, en Grèce et en Palestine.

» L'entité possédait un véritable don pour étudier la configuration d'un pays et en évaluer les richesses naturelles, obtenant ainsi le meilleur profit pour l'Empire.

» En conséquence, chaque activité liée au cycle de la nature fait partie de l'entendement de l'entité – que ce soit dans le domaine des fournitures, du ravitaillement, du commerce ou de l'agriculture. Son nom était alors Agrilda.

» Dans sa vie présente, l'entité peut utiliser ces possibilités au profit de la conservation de la nature.

» Avant cela, l'entité se trouvait dans un pays connu maintenant comme l'Égypte, pendant une période de reconstruction qui suivit la disparition de l'Atlantide, où l'entité avait aussi vécu. Celle-ci, bien que très jeune, occupa des fonctions importantes en Égypte : en tant qu'instructeur et éducateur, il participa activement à la croissance et au renforcement de cette civilisation. Son nom était alors Ex-en.

» Voici quels sont les choix auxquels est maintenant confrontée l'entité : elle peut soit accomplir une mission identique à celle de ses vies précédentes, soit glorifier sa propre personne ou encore une cause ou un individu. Elle seule peut en décider.

» Le domaine de la conservation des richesses naturelles lui convient parfaitement et elle y trouvera satisfaction et harmonie.

» Bien sûr, les campagnes continuent à produire – car elles sont le marchepied de Dieu – mais les abus de l'homme peuvent les rendre improductives. Et si l'on porte attention à leur conservation et à leur prospérité, les choses continueront à aller del'avant. Car "tu croîtras avec la grâce, la connaissance et la compréhension"; cela s'applique aussi bien à la vie séculière de l'homme qu'à sa spiritualité. »

Question : « Dois-je continuer à suivre les cours du Penn State College l'an prochain ? »

Cayce : « S'il existe un cours dans lequel cette matière est dispensée, alors oui. Par contre, si de meilleures études peuvent être faites par le biais d'une activité dans le gouvernement, toujours dans le même domaine, alors il faut choisir cette solution. Tu trouveras quelque chose si tu regardes attentivement ! »

Le jeune homme ne manqua pas de suivre à la lettre le conseil que lui avait donné Edgar Cayce. Et, exactement comme Edgar venait de le lui annoncer, il développa son affinité naturelle pour la vie sauvage et la conservation de la nature. C'est un homme comblé et satisfait de son sort, travaillant pour le compte du Service des parcs nationaux, au Département de l'Intérieur, qui écrivit à Hugh Lynn Cayce, sept ans plus tard :

« Chers amis : pour la saison d'été, nous avons finalement été placés à l'entrée sud de ce magnifique parc national. C'est très excitant pour moi d'arborer le titre de "conservateur" : j'ai en effet toujours considéré ces gardiens de nos ressources naturelles comme des héros, depuis ma plus tendre enfance. Je commence en tant que conservateur naturaliste, en juillet. C'est pour moi un grand événement.

» Je désirais surtout vous faire savoir, à tous, que ces Études m'avaient rendu, moi-même et ma famille, très heureux, maintenant nous savons quelle est notre voie.

» Ce travail de conservateur naturaliste représente une occasion unique de montrer aux gens un peu de l'œuvre de Dieu encore intacte. Chaque rivière est pure, l'eau y est bonne à boire et les bassins regorgent de truites. Tous les anciens habitants de la montagne, comme les Crow, les Sioux ou d'autres tribus d'Indiens, erraient autrefois dans cette contrée si riche en histoire. L'antilope, le bison, l'élan et le cerf y sont aussi nombreux que lorsque les premiers pionniers tracèrent un sentier au travers de cette immensité sauvage. Les grizzlis et les ours noirs sont là pour nous rappeler que le danger peut se cacher derrière chaque tronc d'arbre... J'ai même trouvé ici une épice que je n'avais encore jamais goûtée auparavant.

» J'ai l'intention d'aller au collège d'agriculture en septembre pour suivre encore quelques cours et obtenir mon diplôme, puis je retournerai au Service des parcs nationaux, peut-être définitivement.

» Venez me voir – je vous laisserai entrer librement ! »

En 1951, Grover Jansen écrivit à l'un de ses amis qui s'inquiétait de l'avenir de son fils et lui demandait conseil : « Si seulement Edgar Cayce vivait encore, je suis persuadé qu'une Étude de vie serait la réponse aux nombreux problèmes auxquels tu es confronté. J'ai eu la chance immense d'entrer en contact avec la fondation ARE, alors que j'étais encore étudiant et, grâce à eux, j'ai trouvé le genre de travail pour lequel j'étais fait, celui qui convenait le mieux à ma personnalité.

» Comme tu peux le constater en consultant l'en-tête de cette lettre, je ne travaille plus pour le Service des parcs nationaux. En août dernier, nous sommes partis dans le Nord, où je suis responsable de la loi fédérale sur la pêche et de la réglementation sur la chasse. Mon Étude de vie m'avait conseillé de travailler pour le gouvernement, au service de la conservation des ressources naturelles. Je puis t'assurer que je profite énormément de cette position ! »

Le garçon qui se rappelait

On peut difficilement imaginer que l'histoire de l'âme d'Edgar Cayce, qu'il traça lui-même, ne fut pas à la fois édifiante et unique. Mais son témoignage est si complexe et si mystérieux qu'un seul volume consacré à son évolution ne suffirait pas à la faire comprendre au commun des mortels.

Mais on peut toutefois noter que ses antécédents spirituels le placent à un niveau assez élevé dans la hiérarchie des âmes humaines – pour autant qu'il en existe une. Ses différentes vies furent souvent sublimes mais aussi modestes. Par exemple, dans la vie qu'il passe sur le continent américain juste avant d'y être réincarné sous les traits d'Edgar Cayce, son cheminement ne fut pas exactement celui d'un saint. Il était mercenaire à la solde de l'armée britannique, peu avant la guerre d'Indépendance. C'était un soldat jovial, qui n'avait rien d'un enfant de chœur et possédait un goût prononcé pour les femmes et l'alcool.

Il était né en 1742 dans une famille de souche celtique qui ne nourrissait pas, ou très peu, d'admiration pour l'Angleterre, et comptait des contrebandiers et des pirates. On le baptisa John Bainbridge. Il débarqua pour la première fois en Amérique dans la baie de Chesapeake (un endroit proche de Virginia Beach, où il s'était établi au cours de sa dernière vie). Ses fréquentes escarmouches avec des tribus d'Indiens le menèrent jusqu'au Canada et il vint finalement se battre à Fort Dearborn, sur l'emplacement de la ville de Chicago. La vie dans ce camp était dure. John était un homme de son époque, dans tous les sens de l'expression.

Lorsque Fort Dearborn tomba finalement aux mains des Indiens, il aida un groupe de rescapés à s'enfuir en descendant la rivière Ohio, sur un radeau de fortune. Ils n'avaient pas embarqué suffisamment de nourriture pour survivre tous et ils ne pouvaient en aucun cas accoster pour se réapprovisionner : les Indiens les avaient poursuivis sur les deux rives du fleuve. Les malheureux moururent les uns après les autres, soit de faim, soit par accident. Seul Bainbridge termina sa vie par un acte d'héroïsme : il mourut en permettant à une jeune femme d'échapper à ses poursuivants.

En dehors de cet acte de bravoure, son âme n'avait pas fait de progrès notoires pendant cette vie, qui ne mérite d'ailleurs pas d'autre commentaire, à l'exception de deux faits singuliers se rapportant à la vie présente d'Edgar Cayce. La femme qu'il avait sauvée lui demanda à nouveau secours dans sa nouvelle vie et, grâce à elle, il put venir en aide à plusieurs âmes qu'il avait connues à Fort Dearborn; le groupe qu'ils formaient alors était resté intact et ils se retrouvèrent dans les environs de Chesapeake pour tenter de résoudre les problèmes non encore résolus. (Voir au chapitre 16.)

Un autre événement, mineur mais tout de même significatif, se produisit lorsque la famille Cayce s'installa à Virginia Beach, en septembre 1925. Edgar avait accompagné son fils Hugh Lynn chez un coiffeur; le fils de ce dernier, âgé de 5 ans, attendait impatiemment le retour de sa mère pour qu'elle le mette au lit. Son père lui avait donné une boîte de biscuits pour le faire tenir tranquille, et lorsque l'enfant vit Edgar, il se dirigea aussitôt vers lui, lui tendant sa boîte de biscuits. « Tiens, lui dit-il. Tu dois avoir faim ! »

« Laisse cet homme tranquille ! » le gronda son père.

« Mais je le connais ! protesta l'enfant, fixant les yeux d'Edgar avec une parfaite confiance. Il était aussi sur le radeau ! Et tu avais faim, n'est-ce pas, monsieur, tu avais faim ? »

« Merci, jeune homme, répondit simplement Edgar. Je prendrai juste un biscuit. (Et il ajouta à voix basse, dans un soupir :) Tu as raison ! J'avais terriblement faim sur le radeau ! »

2

Si nous avons vécu, pourquoi n'en reste-t-il aucune trace ?

Le subconscient de l'esprit se souvient de ses expériences passées, mais plusieurs bonnes raisons épargnent ce privilège à l'esprit conscient.

Imaginez que vous êtes une âme avant son retour sur la terre. Imaginez que vous êtes un plongeur assis sur le pont d'un bateau de sauvetage, dans la mer des Caraïbes. Le temps est calme, c'est une belle journée. L'eau est transparente et la surface de la mer est d'huile; le ciel est sans nuages; une légère brise vous berce au gré des courants.

Quelque part au-dessous de vous, il y a l'épave d'une ancienne galère, que l'on disait chargée de lingots d'or au moment de son naufrage. Il vous est même possible de deviner la forme de sa coque, au fond de l'eau, bien qu'elle soit enfouie dans le sable. Mais ce que vous ne pouvez apercevoir depuis le pont de votre bateau, c'est l'imbrication des courants qui sillonnent les profondeurs de la mer; ils sont trop loin pour faire des remous à la surface.

À cause du temps qu'il vous faudra rester immergé, vous enfilez une vieille combinaison de scaphandrier, avec des bottes plombées; on vous fixe un casque de cuivre qui protégera votre tête. Ses minuscules lucarnes ovales limitent votre champ de vision. Au moment de passer au-dessus du bastingage, vous avez l'impression que votre corps pèse une tonne. Vous vous habituez lentement à respirer l'air qui vous parvient par le tuyau vous reliant à la surface; à peine êtes-vous dans l'eau que votre poids n'est plus un handicap et vous vous laissez descendre jusqu'au fond sablonneux de la mer. Tout est simple et évident : le succès ne peut plus vous échapper. Il vous suffit d'atteindre le fond de l'océan, de marcher tout droit jusqu'à l'épave, de localiser le trésor, de creuser pour le récupérer et finalement de remonter à la surface.

Mais vous avez oublié de tenir compte de l'inconstance de la mer. Au moment où vos pieds touchent le fond, vous vous retrouvez en train de lutter contre un fort courant. Vous résistez de tout votre poids et vous commencez à approcher de l'épave. Mais la force du courant, qui vous pousse d'abord dans un sens, puis dans un autre, double le poids de la combinaison et du casque que vous portez.

Considérons cette combinaison comme l'enveloppe physique qui abrite l'âme pendant son séjour sur la terre. Tout va bien lorsque le courant vous pousse dans la bonne direction, que la lumière est bonne et que vous contrôlez parfaitement votre corps. Mais la lumière qui filtre à travers l'eau peut soudain être obscurcie par des nuages; les rayons du soleil disparaissent et le fond de l'océan devient tout à coup gris, ténébreux. La résistance continue aux courants contraires commence à vous fatiguer et vos muscles deviennent douloureux. Ce qui promettait d'être une simple promenade, avec en prime un trésor, s'est révélé finalement une tâche complexe, ardue et frustrante. Les choses ne sont pas facilitées par l'apparition de quelques requins affamés, qui se tiennent à l'affût dans les environs. Au moment d'atteindre l'épave, votre câble de sécurité et votre boyau d'amenée d'air s'enchevêtrent avec les poutres brisées de l'épave. Vous vous débattez pour tenter de les démêler, mais l'air ne vous parvient plus et vous ne pouvez plus respirer. Vous vous demandez alors pour quelle raison vous êtes venu là et si un trésor, si fabuleux soit-il, vaut tant de difficultés. Vous tentez de vous rappeler la carte marine qui indiquait avec précision à quel endroit de l'épave se trouvait le trésor; mais vous n'êtes plus certain s'il s'agissait de la poupe ou de la proue. Vous commencez à éprouver ce que Thoreau décrivait comme un « désespoir tranquille ». Le temps semble s'arrêter. Vous vous sentez comme si vous aviez été depuis toujours au fond de la mer, dans votre combinaison pesante, et que vous alliez rester là pour l'éternité. La vie normale sur un bateau devient un rêve de plus en plus irréel – quelque chose que vous n'avez jamais expérimenté vous-même. De même, les voix qui vous parviennent de la surface, par la radio, sont inhumaines et irréelles, elles aussi. La seule, l'unique réalité, c'est la bataille que vous menez contre les courants qui vous poussent, dans un sens puis dans un autre. Vous gardez un œil inquiet sur les requins qui nagent autour de vous, lentement, et qui semblent se rapprocher imperceptiblement; vous n'êtes plus en mesure de vous concentrer sur l'origine de votre mission.

Finalement, la fatigue, la claustrophobie et le

découragement vous accablent à un point tel que vous ne pouvez même plus signaler aux hommes qui sont restés à la surface de vous faire remonter. Au moment où l'on vous remonte enfin, vous êtes presque paralysé et, une fois à bord du bateau, lorsqu'on vous débarrasse de votre scaphandre, vous êtes plus mort que vif. Pendant le temps qu'il vous faut pour récupérer, alors que vous êtes couché sur le dos, respirant l'air frais à pleins poumons, le souvenir de ces heures interminables, là-bas au fond de l'océan, s'estompe pour devenir à son tour comme une espèce de rêve. Ce qui est irréel maintenant, c'est le temps que vous avez passé au fond de l'eau; la réalité, c'est le pont du bateau sur lequel vous vous trouvez, le sentiment de sécurité que vous avez retrouvé et vos compagnons qui vous entourent.

Tout le processus de la mémoire, dans ce cas, a été renversé.

De la même manière, l'âme humaine revient dans le monde des vivants avec une confiance absolue, au moment de sa renaissance, de même elle retourne après la mort à son état originel avec de la méfiance, ayant oublié que les deux mondes coexistaient, que l'un était aussi réel que l'autre.

Un homme, plusieurs rôles

Si vous préférez une explication plus tangible de votre manque apparent de mémoire de votre karma, imaginez que vous êtes un acteur professionnel.

Mettez-vous à la place du grand acteur shakespearien Sir Laurence Olivier, dont le génie théâtral nous a valu des portraits inoubliables de Henri V, de Hamlet, de Richard III et d'Othello. Chacun de ces personnages représente une création parfaite, entière; aucun d'entre eux ne dépend des autres. En fait, Olivier devait s'identifier à chacun d'eux pour les faire vivre aussi intensément, avec autant de conviction.

Et, après ses performances, Olivier avait besoin de se reposer pour reprendre des forces. Car il est peut-être le plus grand acteur classique de notre époque, mais ses problèmes ne sont pas différents des vôtres. Il a des rendez-vous chez son dentiste, des migraines à cause de ses déclarations d'impôts, des rhumes et tous les autres petits ennuis de la vie quotidienne.

Mais il se différencie instantanément lorsqu'il se trouve dans les coulisses de l'Old Vic Theater, juste avant sa première entrée dans le rôle d'Othello. S'inquiète-t-il des problèmes fiscaux de Laurence Olivier ? Certainement pas. Laurence Olivier s'est rapidement transformé en un petit point irréel au fond de sa mémoire. Sa seule incarnation est celle d'Othello. Il se concentre exclusivement sur les émotions qu'il devra bientôt faire partager. Les décors de la scène disparaissent pour laisser la place à une vraie rue, à Venise. Les voix des autres acteurs continuent de se faire entendre, mais elles émanent maintenant de vrais Vénitiens du XVIe siècle.

Dans une certaine mesure, Olivier se met en état d'hypnose lorsqu'il fait son entrée sur scène.

Maintenant, imaginez-le en train de déclamer avec passion, puisant dans les ultimes ressources de son énergie émotionnelle, tout en s'imposant une discipline rigoureuse au moment de prononcer chaque syllabe. À ce moment-là, il est bien loin de sa prestigieuse interprétation de Hamlet, ou des ovations qui avaient accueilli son Richard III, ou des problèmes rencontrés lors de son film consacré à Henri V. À ce moment-là, il ne se souvient que d'une chose : l'amour d'Othello pour Desdémone. Même pendant les entractes ou les changements dé décors, il reste toujours Othello – un Othello détendu peut-être – comme le corps qui sommeille – mais toujours Othello. Et il ne quittera ce personnage que lorsque le rideau final sera baissé, qu'il aura ôté son costume et son maquillage.

Allons plus loin. Tous les rôles d'Olivier ne furent pas des succès. Et lui-même reconnaît sa médiocre prestation dans une version filmée de *The Beggar's Opera*. Quelle sorte de performance pourrait attendre de lui son public d'Othello si son esprit restait hanté par cet échec, au point de s'arrêter au milieu d'une tirade et de s'écrier soudain : « Mon Dieu, quel mauvais acteur j'ai été en jouant MacHeath ! Je n'ai aucun droit d'être ici ! » Que deviendrait la connivence qu'il avait soigneusement fait naître entre son public et le personnage d'Othello ?

Essayez d'imaginer cela pour vous-même. Supposez que vous ayez accès volontairement et librement à toutes vos vies précédentes et qu'un jour, par hasard, vous vous aperceviez au détour de votre mémoire que vous avez été l'un des monstres les plus sanguinaires de l'histoire !

Comment réagiriez-vous face à cette horreur, ce remords tardif ? Que feriez-vous si vous saviez qu'il vous faudrait un million d'autres vies pour effacer le mal que vous avez fait dans cette vie atroce ? Quel espoir vous resterait-il ?

En réalité, cette situation ne peut se produire, pour la simple raison que la loi karmique serait alors transgressée. Et le fonctionnement de cette loi est fixe et immuable. Aucune âme ne sera jamais autorisée à connaître ses erreurs passées. Quelle que soit la dette d'une âme envers les autres, elle ne devra jamais s'en acquitter avant d'avoir atteint une maturité suffisante pour qu'une compensation soit réalisable. Il convient donc de se débarrasser de la conception erronée du karma comme brutalité et punition s'abattant sur les indignes pécheurs que nous sommes.

« Car le Seigneur ne tente pas une âme au-delà de ce à quoi elle est capable de résister », disait Edgar Cayce. À plusieurs reprises toutefois, il a été contraint d'exorciser les principes obscurs de la prédestination et du péché originel, ancrés dans l'esprit de ceux qui venaient lui demander secours.

« La plupart des individus font une mauvaise interprétation du karma, disait-il encore. Chaque âme ou entité devrait concevoir le juste concept du destin. Le destin est intérieur; il est fait de foi; c'est un cadeau des forces créatrices. Le karma est une influence qui se rebelle contre le destin. »

« L'entité exerce une pression sur le karma, objecta-t-il à l'un de ses détracteurs. Si tu vis en fonction de la loi, tu dois juger en fonction de la loi; mais si tu vis en fonction de ta foi, alors tu dois juger en fonction de ta foi. »

« Il ne faut pas prendre cela pour une critique ni pour un sarcasme, dit-il à un autre, mais ce que tu dois savoir, c'est que c'est la loi du Seigneur qui est parfaite – et non la conception que s'en font les hommes. La loi s'appliquera. Le feras-tu, ou quelqu'un d'autre le fera-t-il à ta place ?... Celui qui cherche trouvera. Celui qui frappe à la porte, on lui ouvrira. Tout cela est irréfutable, ce sont des lois immuables. »

Edgar Cayce fit ensuite une analyse plus détaillée :

« Le karma est une réaction comparable à celle qui se produit dans un organisme humain lorsqu'il s'alimente. La nourriture est transmise au corps, pénétrant chaque cellule, influençant la santé du corps comme celle de l'esprit.

» Il en va de même pour une âme, lorsqu'elle pénètre dans un corps pour une expérience sur la terre. Les pensées de cette personne, ainsi que les actes qui résultent de ces pensées, sont la nourriture dont l'âme a besoin. Ces pensées et ces actes ont été engendrés par d'autres pensées et d'autres actes, antérieurs; et ainsi de suite jusqu'à la naissance de l'âme.

» Lorsqu'une âme pénètre dans un nouveau corps, une porte s'ouvre, menant à une occasion de créer le destin de l'âme. Tout ce qui a été créé auparavant, le bien comme le mal, est contenu dans cette opportunité. Il existe toujours une possibilité de rédemption, mais l'âme ne peut échapper aux responsabilités prises en son nom propre. Elle doit assumer son destin.

» Ainsi la vie est-elle une sorte de développement, une préparation à la purification de l'âme, malgré les difficultés que doivent affronter le corps et la conscience.

» Quand des changements surviennent, certaines personnes font intervenir le facteur chance. Mais il ne s'agit pas de chance. C'est la conséquence de ce que l'âme a entrepris pour favoriser sa propre rédemption. »

Et Edgar Cayce de présenter, le plus simplement possible, la loi de grâce, qui supplante l'expiation : « Le karma est le besoin de vivre ce pour quoi tu es destiné. Tu seras pardonné, alors pardonne aux autres. C'est ainsi que tu rencontreras le karma. »

Certaines des Études de Cayce relatent la vie d'individus dont le péché karmique fut leur détermination à s'accrocher à leur faute, plutôt que de faire un effort pour l'expier en pardonnant aux autres.

Évidemment, personne ne peut être contraint, ni par son Dieu ni par un de ses semblables, à pardonner. C'est à chacun de décider. Chacun est entièrement libre de rester aussi longtemps qu'il le désire dans le purgatoire qu'il s'est choisi.

Mais jusqu'à ce qu'il ait évolué suffisamment pour se sortir lui-même de cette situation, à quoi lui servira-t-il de demander inlassablement : « Pourquoi n'ai-je aucun souvenir ? » N'est-il pas préférable de dire : « Je suis heureux de ne pas me souvenir ! »

Le bien fait au cours d'une vie est de toute façon acquis pour l'âme, irrémédiablement. Plus loin, nous verrons comment cela peut se produire, par l'intermédiaire de la loi de grâce.

3

Le subconscient de l'homme
est immortel

La différence entre l'« état conscient » et l'« état hypnotique » d'Edgar Cayce était fondamentale. Tout du moins au début. Il n'y avait, bien sûr, aucun antagonisme entre les deux formes de son esprit, bien que l'un fût vulnérable et humain et l'autre spirituellement isolé des malheurs dont chaque homme hérite. La plus simple comparaison que l'on puisse en faire est celle d'une radio dans laquelle il est impossible de parler et d'écouter simultanément – un genre de radio souvent utilisée sur les bateaux. Il s'agit d'un moyen mécanique qui permet à un homme en mer d'entrer en contact avec ceux qui sont restés sur le rivage. L'appareil n'enregistre aucune impression et ne retient rien des mots qu'il ne fait que transmettre.

Vers la fin de la vie d'Edgar Cayce, une certaine superposition des deux niveaux de conscience devint évidente. Mais dans ses jeunes années, il fut stupéfait d'apprendre, par exemple, qu'il avait donné des conseils médicaux à un Italien, en italien parfaitement courant. De même, la terminologie médicale compliquée qu'il avait utilisée ne lui était pas plus intelligible, lorsqu'il était conscient, que la langue italienne.

Le malentendu le plus répandu à son sujet était celui consistant à le considérer comme une espèce d'ermite séculier qui criait dans un désert métaphysique. Mais sa capacité à se souvenir de ses propres incarnations fit de lui un être unique.

Son propos – pour ce que nous en savons jusqu'à maintenant – était de servir de guide. « Ce que je peux faire aujourd'hui, tout homme sera capable de le faire demain. » Tel est un des thèmes que l'on retrouve régulièrement dans sa philosophie.

Chaque âme possède le même potentiel : cette affirmation figure implicitement dans les paroles qu'il utilise pour décrire la première apparition de l'âme sur terre.

« Au commencement, lorsque le premier des éléments se mit en mouvement pour créer une sphère appelée "planète Terre", lorsque les étoiles du matin chantèrent à l'unisson et que les vents apportèrent la nouvelle de l'arrivée prochaine de l'homme, issu de l'esprit du Créateur pour se manifester en tant qu'âme vivante, cette entité se fit être humain pour donner naissance à la multitude. »

Il est intéressant de comparer la citation qui précède avec ce passage de Job 38 : « Puis le Seigneur répondit à Job d'une voix qui sortait du tourbillon, et dit... Où étais-tu lorsque je posais les fondations de la terre... lorsque les étoiles du matin chantaient à l'unisson, et que tous les fils de Dieu criaient leur joie ? »

Même si elles attendaient la création, selon Edgar Cayce, certaines âmes étaient déjà prédestinées à faire usage de leur libre arbitre, nouvellement créé, pour servir le dessein de Dieu sur la terre, alors que d'autres étaient destinées à user de leur libre arbitre à des fins personnelles... La terre nouvellement créée leur offrait une opportunité d'usurper le rôle de Créateur de Dieu et de devenir elles-mêmes autant de petits Créateurs. Elles apportèrent le péché avec elles. Mais elles étaient encore loin d'être « en vie », à une période où, sur cette planète, l'évolution animale n'avait pas encore débuté. En fait, la densité de la matière « solide », telle que nous la connaissons maintenant, n'est apparue que plusieurs millions d'années plus tard. La pensée était la force motrice originelle. La matière n'était qu'une mutation subséquente. Pour simplifier, la pensée peut être comparée à de la lave en fusion – malléable, en perpétuel changement, capable de prendre n'importe quelle forme. La matière solide n'est que sa réplique inanimée.

Pour cette raison, on retrouve tout au long des Études d'Edgar Cayce cette phrase clé : « La pensée est le fondateur » – la terre humide qui prend forme sous les mains du potier – et la survie de l'âme dépend entièrement de sa capacité à forger son destin au niveau subconscient, là où la terre est assez humide pour être facilement malléable.

Exactement comme une série de réactions en chaîne transforme l'atome d'une particule inoffensive de matière en un gigantesque champignon qui anéantit Hiroshima, les réactions en chaîne d'une pensée positive peuvent soulager l'âme de sa matière et ainsi lui faire regagner la liberté de son état fluide, au niveau astral.

C'est parce que nous manquons d'équivalent scientifique adéquat, comme celui de fission atomique dans le domaine de la physique nucléaire, que nous en sommes réduits à nommer ce processus qui soulage l'âme « la tragédie de la mort ».

Comparons l'âme à un satellite. Il suffit de deux fusées pour le libérer de la gravitation terrestre et le mettre en orbite. À peine les fusées ont-elles rempli leur mission qu'elles brûlent et disparaissent, exactement comme un corps de chair et d'os – l'enveloppe terrestre de l'âme – brûle et disparaît au moment de la mort, suivi en cela par l'« ego », l'esprit conscient de l'enveloppe terrestre, qui n'a plus sa raison d'être.

Ainsi, l'âme n'est plus prisonnière de la matière. Elle a conquis sa liberté. Tout ce qu'elle retient de son séjour dans son enveloppe terrestre, c'est lé rappel global de ses expériences sur la terre, stocké en toute sécurité dans sa « mémoire ». Seul l'esprit conscient a été exclu. Quant au subconscient, lui, il a survécu, n'étant pas constitué de matière et ne dépendant pas d'elle. Il devient alors la conscience de l'âme et il continuera à fonctionner ainsi jusqu'au moment où l'âme retournera sur terre, pour se réincarner dans une nouvelle enveloppe matérielle.

Pendant ce temps, une sorte de superconscience assumera les fonctions abandonnées par le subconscient et l'âme se trouvera articulée comme elle ne pourrait jamais l'être sur terre. L'extase que certains saints ont éprouvée doit probablement se rapprocher de cet état : il pourrait s'agir d'une captation momentanée de la joie intense que ressent l'âme à ce niveau de l'existence.

Lorsque le moment vient pour l'âme de regagner la terre et d'assumer son nouveau corps, le processus est en quelque sorte inversé. La conscience retourne au niveau du subconscient et le subconscient gagne le niveau de la superconscience, où il subsiste dans une espèce de sanctuaire, à l'intérieur de l'enveloppe matérielle. Cette superconscience ne recherche ni ne désire une association quelconque avec le subconscient ou la conscience nouvellement créée qui, eux, s'accoutument à leur nouvel ego.

Dans quelques cas extrêmement rares, la superconscience peut être contactée – et uniquement dans des cas de profonde hypnose. (Edgar Cayce était capable d'entrer en contact avec sa superconscience en état d'auto-hypnose; il ne faut cependant pas perdre de vue qu'il était l'exception, et non la règle, à ce stade de notre développement universel. Il est un reflet de ce que nous serons à l'avenir.)

La conscience nouvellement créée ne peut en aucun cas être plus âgée que l'enveloppe charnelle qui l'abrite temporairement. Tout ce que le nouveau-né a accumulé de sagesse, de prudence, ainsi que l'appréciation qu'il a de lui-même et de ses semblables, tout cela repose au niveau de son subconscient. Et le seul ami et conseiller vers lequel il peut se tourner, c'est son propre subconscient. De plus, ce contact ne peut être effectué que lorsqu'il est endormi et qu'il rêve, ou alors grâce à la méditation. Dans ce dernier cas, à force d'auto-discipline, il s'entraîne à écouter « la voix encore fluette de sa conscience ».

Pendant les heures où il est éveillé, au niveau de sa conscience, le nouvel être doit faire une fois encore la connaissance de toutes les nouvelles distractions de l'existence matérielle, choisissant sa voie du mieux qu'il le peut en évitant les écueils qui pavent le chemin de sa vie, et – s'il prête attention à la « petite voix fluette » – les excès d'autosatisfaction auxquels il est tenté de s'abandonner.

Mais cela a-t-il un sens que d'anticiper les problèmes qu'il sera amené à résoudre ?

Oui, si nous comparons les différentes vies de

l'âme aux épisodes d'une nouvelle paraissant dans un magazine. Au moment où votre âme meurt à la fin de votre vie, on indique simplement « à suivre » en petits caractères au bas de la page du magazine. Au moment d'apparaître dans un nouveau corps, vous ne repartez pas de zéro; vous reprenez exactement là où vous en étiez resté.

Si, dans une vie antérieure, vous n'avez pas réprimé votre envie de lancer des pierres dans les vitres des maisons, vous devrez vous résigner à naître dans une maison où vous apprendrez le désagrément de vivre à la fin de la trajectoire des pierres. Si vous supportez avec philosophie que vos carreaux volent en éclats, jusqu'à ce qu'il y ait égalité des scores, vous vous en sortirez gagnant. Mais si vous vous laissez aller au désarroi, affirmant que vous n'avez rien fait pour mériter pareil sort, vous n'aurez pas su tirer tous les avantages de cette expérience.

Edgar Cayce lui-même reconnaissait qu'il aurait pu tirer un bien meilleur parti de certaines de ses vies. Il s'était souvent laissé aller à la colère et à l'impatience. Et sa vie plutôt facile en Égypte, par exemple, lui avait offert suffisamment de tentations pour l'écarter du cheminement laborieux de l'amélioration de son âme. Il lui était aussi ardu de mettre de l'ordre dans sa propre demeure spirituelle que de venir en aide à ses semblables.

Où obtenait-il ses informations, lorsqu'il faisait une Étude de sa vie ?

Lors d'une conférence qu'il donna en 1931 au Cayce Hospital, il donna l'explication suivante : « Laissez-moi maintenant vous parler d'une expérience personnelle. J'ai eu le sentiment, au cours de cette expérience, d'approcher ce qui se passe au moment de la mort, pour autant qu'il soit possible d'en parler avec de simples mots. Pour obtenir des informations concernant une personne venue me consulter, et en me rendant donc au niveau du subconscient, j'eus l'impression de sortir de mon corps.

» Devant moi, il y avait une espèce de ligne étroite et droite, comme un rayon de lumière blanche. De chaque côté de cette ligne, il y avait du brouillard et de la fumée, ainsi que de nombreuses silhouettes qui semblaient implorer mon secours, me demandant de venir sur le plan qu'elles occupaient. Au fur et à mesure que je suivais le rayon de lumière, le chemin commençait à s'éclaircir. De chaque côté, les silhouettes devenaient toujours plus distinctes; elles prenaient une forme précise. Mais sans cesse on me rappelait, ou l'on tentait de m'écarter de mon chemin, pour me faire oublier le but de ma mission. Pourtant, par l'étroit passage qui s'ouvrait devant moi, je continuai à avancer tout droit. Après quelques instants, je passai à un endroit où les silhouettes n'étaient plus que des ombres qui essayaient de me pousser en avant plutôt que de m'arrêter. Puis au moment où leurs contours se précisaient, elles ne semblaient plus préoccupées que par leurs propres activités.

» Finalement, je parvins au pied d'une colline, où se trouvaient un petit monticule et un temple. Je pénétrai dans le temple et me retrouvai dans une vaste pièce, ressemblant à une bibliothèque. Elle était remplie des livres de la vie des hommes; il semblait y avoir un volume pour chaque personne, contenant toutes ses activités. Et je n'eus plus qu'à retirer des rayons le volume concernant l'individu qui m'intéressait, pour lequel j'étais venu chercher des informations. Comme le dit Paul : "Je ne puis dire si je me trouvais à l'intérieur ou à l'extérieur de l'esprit; mais ce fut une expérience réelle." »

La libre volonté l'emporte sur le destin

Lorsqu'il se penchait sur les vies précédentes des gens qui venaient le consulter, Edgar Cayce leur expliquait que le karma était une mémoire et qu'ainsi les lois de cause à effet étaient plus ou moins souples. L'âme, comme un prisonnier dans un pénitencier, a toujours la possibilité de voir sa sentence « réduite pour bonne conduite » en coopérant avec les autorités. Une vie entière sacrifiée au bien-être d'autrui, comme celles d'Albert Schweitzer ou du père Damien, peut parfaitement valoir cinq ou six existences stériles. En fait, la libre volonté est toujours plus forte que le destin préétabli. Aucune âme n'est jamais débitrice de vieilles dettes au point de devoir se résigner tristement à payer toujours et encore. Mais il ne faut pas non plus perdre de vue le fait que l'âme peut parfois progresser sans que notre conscience s'en rende compte. L'aveugle guéri par le Christ, par exemple, n'était pas aveugle parce qu'il avait péché, mais parce que son âme gagnait de l'ampleur dans cette expérience de cécité. Il est absolument essentiel de comprendre et d'accepter cette conception avant de s'occuper des cas plus complexes dont nous traiterons plus loin.

Si pénibles que soient les difficultés dans lesquelles vous vous trouvez, sachez que vous vous y êtes mis vous-même en ne respectant pas certaines lois. Quelles que soient les lois que vous avez transgressées, vous les avez transgressées de votre propre gré, cette liberté vous ayant été accordée dès le commencement par le Créateur. Vous seul avez choisi d'être là où vous vous trouvez. Vous avez donc aussi le choix de reconnaître ou non vos erreurs. Impossible de dire dans ces conditions que vous êtes la victime d'un esprit vengeur et colérique, qui vous manipule à l'aide de ficelles invisibles.

Concevoir un dieu de la Vengeance acariâtre, qui contrôlerait l'immensité immaculée de notre système solaire, reviendrait à accréditer l'idée qu'une poignée de figurines de plomb, déguisées en policiers, seraient capables de régler la circulation sur une autoroute à huit voies encombrées !

Pour cette raison, les dogmes du péché originel et des principes de l'illumination et la vraie religion n'ont jamais pu coïncider.

Le seul, l'unique Dieu que connaissait Edgar Cayce en « état hypnotique » était un Dieu d'amour et d'infinie bonté, qui nous avait déjà tous pardonné.

4

Les karmas physique
et émotionnel

Le prix de la vertu, le prix du péché

À l'âge de 34 ans, avec une femme et un enfant à charge, Paul Durbin était atteint de sclérose en plaques, provoquant une paralysie qui ne lui permettait pour ainsi dire plus d'utiliser sa jambe et son bras droits. Bien que la famille de Paul ne fût pas dans la misère, ses amis se groupèrent pour lui venir en aide. Ils payèrent son hospitalisation, obtinrent une Étude physique et lui administrèrent même les massages que cette Étude avait recommandés. Sa condition ne tarda pas à s'améliorer.

Son Étude avait également révélé l'une de ses incarnations antérieures, au cours de laquelle il avait trop encouragé ses passions négatives.

« L'entité est en guerre contre elle-même. Toute la haine, toute la ruse, tout ce qui effraie les hommes doit être éliminé de l'esprit. Car, si ancienne soit-elle, chaque âme devra rendre compte de chaque parole inutile prononcée. Elle paiera pour chaque bribe. Pourtant, l'entité sait, ou devrait savoir, qu'elle dispose d'un avocat en la personne du Père.

» Car, "Même si tu t'éloignes trop, si tu appelles, je te répondrai aussitôt !" Alors, fais face ! Sache que le Seigneur est vivant et qu'il te veut du bien, mais seulement si tu lui fais entière confiance ! »

En d'autres mots, une âme n'a qu'à reconnaître en faisant pénitence qu'elle s'est égarée, pour qu'on lui prête secours, dans l'exacte mesure de sa sincérité.

Mais cet avertissement tomba dans les oreilles d'un sourd. Paul Durbin, amer et apitoyé sur son propre sort, rejeta ce conseil et demanda pourquoi Cayce n'avait pas réussi à le guérir, miraculeusement et instantanément. Il alla même jusqu'à reporter sa frustration sur ceux qui prenaient soin de lui, pour finalement leur faire regretter leur dévouement.

Néanmoins, son état s'améliora temporairement; mais lorsqu'il s'aperçut que sa guérison n'était pas complète, il se plaignit encore plus amèrement qu'avant.

Au cours de l'Étude suivante à laquelle Cayce le soumit, celui-ci s'adressa à lui en des termes plus vifs : « Tu te trouves en situation karmique et des mesures doivent être prises afin que ton corps modifie son attitude vis-à-vis de cette situation.

» Tout d'abord, tu dois changer ton cœur, changer ton esprit et tes objectifs, modifier tes intentions. Lorsque cela sera fait, continue les massages et poursuis les applications suggérées. Mais tous ces traitements physiologiques ne te permettront pas de guérir complètement tant que ton âme n'aura pas été baptisée par l'Esprit-Saint. C'est en lui que réside ton salut. Vas-tu le rejeter ? Car ton corps est le temple du Dieu vivant. Et à quoi ressemble-t-il actuellement ?

» Il a été brisé dans son élan, il n'est plus capable de se régénérer. Que lui manque-t-il ? Ce qui constitue la vie elle-même, cette influence ou cette force que tu appelles Dieu. Vas-tu l'accepter, ou au contraire la renier ? Il n'appartient qu'à toi de décider !

» Aussi longtemps qu'il y aura de la haine, de la méchanceté, de l'injustice – autant de concepts qui sont en désaccord avec la patience, les longues souffrances, l'amour fraternel –, il ne saurait être question de soigner ce corps. Pour quelle raison ce corps serait-il soigné ? Pour lui permettre de satisfaire ses propres désirs, de combler son appétit ? Pour ajouter à son propre égoïsme ?

» S'il en est ainsi, il fait mieux de rester tel qu'il est !

» C'est terminé pour l'instant – à moins qu'il n'y ait de ta part demande de réparation. »

Cette Étude a été choisie délibérément en raison de son austérité exceptionnelle. Il existe peu de commentaires dans les dossiers de l'ARE sur le cas de ce patient récalcitrant, déterminé à ne pas modifier d'un pouce son comportement et demandant le rétablissement de sa santé comme un dû. Pourquoi Paul Durbin a-t-il souffert ? Pour quelle raison chacun de nous est-il condamné à souffrir, s'il faut en arriver là ?

« Toute maladie est un péché », disait Edgar Cayce; et il ne voulait pas dire nécessairement par là que le péché avait été commis consciemment dans la vie présente; le péché s'exprimait sous forme de maladie parce qu'il n'avait pas encore été complètement expié par l'âme.

Le karma, considéré comme un abaque sur lequel sont comptabilisés les gains et les pertes d'une âme, est souvent confondu à tort avec une rétribution. En fait, son dessein est bienfaisant. Mais la guérison est souvent lente, douloureuse et sujette à des rechutes encore plus pénibles, preuves de l'acharnement du karma.

Un certain nombre de souffrances peuvent être salutaires pour secouer de sa torpeur le subconscient, lorsque tous les avertissements plus subtils n'ont pas réussi à convaincre l'ego de bien agir. « Celui que le Seigneur aime, il le châtie bien. » Il faut voir là plus de tendresse que de cruauté.

Les Études d'Edgar Cayce font une distinction entre deux types de karma – le karma émotionnel et le karma physique. Chacun d'eux possède, par nécessité, ses aspects positif et négatif, son bien et son mal.

Les émotions négatives se retrouvent dans des symptômes aussi divers que l'incompatibilité maritale, l'alcoolisme, l'impuissance sexuelle, les névroses telles que la dépression chronique et la paranoïa, les perversions mentales et même les possessions, dans le sens médiéval du terme.

En ce qui concerne l'aspect physique, il s'agit de maux tels que la surdité, la cécité, des difficultés d'élocution et des maladies mortelles comme la leucémie et la sclérose en plaques.

Tout au long de sa vie de voyant, Edgar Cayce a voué la plus grande partie de ses efforts à diagnostiquer avec succès les maladies du corps. À plusieurs reprises cependant, ces maladies ne résultaient pas de causes physiologiques, mais d'un jaillissement inéluctable de la vérité au niveau du subconscient.

Le meurtrier qui a versé le sang d'un innocent au cours d'une vie se rattrapera dans une autre en versant symboliquement le sien. Plus d'un cas de leucémie a été directement attribué à ce type de phénomène.

Mais le remède n'a pas toujours besoin d'être aussi drastique qu'il le fut pour Paul Durbin. La loi de grâce est un choix toujours disponible pour l'âme – la résiliation des dettes accumulées, rendue possible par le dévouement généreux au bien-être d'autrui – selon les propres paroles d'Edgar : « Ce que tu sèmes, tu le récoltes, à moins d'être passé de la loi charnelle, ou karmique, à la loi de grâce. » La plupart des âmes semblent hésiter entre ces deux extrémités.

Le cas suivant de karma physique est celui d'une femme qui a surmonté avec succès le défi qui lui était lancé.

Stella Kirby, divorcée avec un enfant à charge, décida d'écouter le conseil d'un de ses amis, qui lui suggérait de suivre une formation d'infirmière. À peine eut-elle achevé son apprentissage qu'on lui proposa du travail dans un établissement privé, où elle gagnerait le double du salaire en vigueur. Elle eut une entrevue avec son employeur potentiel, une femme charmante, qui sembla l'apprécier instantanément et l'embaucha. Le personnel de la maison était compétent et bien dirigé, la nourriture était excellente et son appartement presque luxueux. Tout cela, combiné avec un salaire généreux, était bien plus que Stella n'avait jamais osé espérer. Mais lorsqu'on l'emmena dans la chambre du patient dont elle aurait à s'occuper, elle se trouva face à face avec un homme de 57 ans, parfaitement débile. Son lit était entouré de barreaux; il était assis, occupé à lacérer systématiquement chacun de ses vêtements, l'œil hagard et semblant absolument incapable de réagir normalement. Il ne pouvait parler, et encore moins répondre à une question. On devait le nourrir comme un enfant, parfois de force, et il résistait à tous les efforts que l'on faisait pour qu'il soit propre.

Découragée, mais déterminée à faire de son mieux en dépit de la répulsion qu'elle sentait monter en elle, Stella s'approcha de lui pour le laver; au moment de le toucher, elle fut prise d'une telle nausée qu'elle dut se retirer et se rendre aux toilettes pour vomir.

Elle s'aperçut que jamais elle ne serait capable de surmonter cette répulsion et qu'elle devrait renoncer à ce travail et à la sécurité qu'il lui procurait et dont elle avait cruellement besoin. Heureusement pour elle, elle put se rendre à Virginia Beach et demander l'aide d'Edgar Cayce – et c'est ainsi qu'il fut confronté à l'un des cas les plus étranges de sa carrière.

Deux fois auparavant, les chemins de Stella et de son patient s'étaient croisés. En Égypte, il avait été son fils. La répulsion qu'elle ressentait pour lui remontait à une vie qu'ils avaient tous deux vécue au Moyen-Orient, alors qu'il était un philanthrope fortuné et considéré, admiré pour sa générosité. En privé, cependant, il entretenait une sorte de sérail de jeunes et jolies femmes qui étaient obligées de se soumettre à la perversité de ses caprices sexuels. Elle avait été une des femmes emprisonnées dans ce sérail.

Elle s'était souvenue de cette dépravation et de ce dégoût au moment de le toucher. Et lui, pauvre hère, entouré à nouveau de luxe et de confort, se trouvait en face de son karma – de sa punition. Il était difficile d'imaginer une âme plus dénuée et avilie. Pourtant Cayce insista pour dire (comme il le faisait chaque fois dans pareil cas) que même l'esprit le plus délabré était capable de réagir à l'amour – que Stella devait, en quelque sorte, apprendre à l'aimer si elle désirait jamais surmonter ses propres barrières karmiques. Quitter cette maison n'aurait pas été pour elle une solution : le lien entre eux ne se serait pas relâché, et ils l'auraient retrouvé dans leurs vies ultérieures.

Plusieurs années plus tard, Stella fit part des premières réactions qu'elle eut face à son Étude de vie. L'idée même de réincarnation était entièrement nouvelle pour elle. L'existence même de Dieu n'avait jamais été clairement établie auparavant dans son esprit. Mais elle se souvint peu à peu de détails qui la convainquirent.

Elle avait toujours ressenti une immense compassion pour les handicapés, de sorte qu'avant la naissance de sa fille, sa seule crainte fut que l'enfant naisse avec des jambes déformées. La cause de ces craintes remontait à sa vie en Palestine, où elle s'occupait de soigner les faibles et les paralysés – une expérience qui pourrait maintenant lui servir au centuple. Même la personne qui l'avait engagée se trouvait avec elle en Palestine et cela expliquait l'attirance qu'elles avaient ressentie mutuellement dès leur première rencontre.

Stella resta donc au chevet de cette créature pitoyable. Mais à plusieurs occasions, elle fut sur le point d'abandonner. Edgar Cayce la pressait alors de poursuivre et, finalement, son patient commença à faire quelques progrès. Il lui obéissait maintenant parfaitement, mangeait sa nourriture au lieu de la recracher, devint enfin propre et ne mettait plus ses vêtements en lambeaux. Lorsqu'elle se déplaçait dans sa chambre, il suivait chacun de ses gestes avec la dévotion d'un jeune chien.

L'amour de Stella pour cet homme commença

à faire de l'effet sur son cerveau paralysé, comme Cayce l'avait prédit : lorsqu'il se rendit compte qu'une fois encore on l'aimait, il fut immédiatement libéré de son enfer. Il avait beau avoir langui pendant des années dans un état de profonde débilité, il eut droit à une mort paisible deux ans plus tard. Quant à Stella, elle put continuer à mener une vie équilibrée.

Les Études ne font pas référence à leur relation lorsqu'elle fut sa mère, en Égypte; mais, puisque aucune cause n'est sans effet, elle n'aurait pas été l'objet de ses fantasmes obscènes au Moyen-Orient si elle ne lui avait pas déjà dû quelque chose auparavant. On peut supposer qu'elle avait trahi sa confiance en Égypte, en le négligeant ou même en le rejetant, liant leur destin à un point tel qu'il ne lui fut plus possible d'éviter les humiliations qu'elle eut à subir au Moyen-Orient, lorsque leurs chemins se croisèrent à nouveau.

L'enfant mongolien

Les karmas physique et émotionnel sont à nouveau étroitement liés dans le cas de cet homme et de cette femme, qui ont été associés au moins deux fois dans leurs vies précédentes. Ils peuvent être considérés comme des âmes hautement développées, mais se sont trouvés confrontés à une épreuve, qu'ils auraient bien pu ne pas résoudre sans l'aide d'une Étude de vie.

L'enfant de David et Myra Cobler, âgé de six ans, était mongolien. Les Cobler demandèrent aussitôt si leur conduite dans leurs vies antérieures était à blâmer; une réponse empreinte de prudence et de délicatesse leur fut donnée.

Toutes leurs vies ne furent pas « idéales » et bien que leur vie actuelle fût plutôt décevante, le désir de Myra de devenir une nouvelliste aurait pu s'exprimer si elle avait pris pour source d'inspiration les leçons du malheur qui l'accablait. Sa nature passionnée, sensible, et sa profonde solitude spirituelle auraient pu devenir autant d'atouts. Malgré l'amour et les soins constants que réclamait son enfant, elle devenait moins attentive, imaginant le plaisir qu'elle éprouverait quand elle serait à nouveau enceinte. Toutes ses pensées étaient tournées vers « l'autre » enfant.

« Ne te blâme pas toi-même, lui dit Edgar, ne blâme pas ton compagnon. Ne blâme pas Dieu. » Elle et son époux avaient atteint ce niveau où « l'être doit rencontrer l'être » et accorder leurs souvenirs. S'ils y parvenaient, ils pourraient ainsi aider l'âme de leur enfant à se libérer de son propre karma, qui n'aurait plus jamais besoin de s'incarner dans la souffrance.

L'âme de l'enfant, dit Edgar, « représente ton problème avec Dieu, qui ne peut être résolu tant que Lui, qui est le Géniteur de la Vie, n'a pas décidé de la rappeler pour préparer une vie meilleure que tu auras rendue possible par ta bonté ».

Qu'avait donc fait Myra pour mériter pareille destinée ? Sa vie précédente, Myra l'avait passée misérablement dans un poste frontière du Middle West américain, sous le nom de Jane Richter; l'expérience de ces conditions de vie sordides avait jeté les bases de son intense désir de fonder un foyer sûr et agréable dans sa vie présente.

Son Étude la fit ensuite remonter en Palestine « à une époque où le Maître se trouvait sur terre ». Le nom de Dorcas faisait alors d'elle une femme d'origine grecque ou romaine, extrêmement sceptique quant aux pouvoirs miraculeux attribués au Messie. Ne s'étant pas embarrassée de partir à sa rencontre et jugeant des choses par elle-même, « l'entité prit en vérité un malin plaisir à blâmer » ceux qui croyaient réellement en l'existence du Fils de Dieu. Ce n'est qu'à la Pentecôte que son chemin croisa celui de Dorcas. Lorsqu'elle perçut la présence de l'Esprit-Saint, elle crut, mais estima qu'il était trop tard pour effacer son passé, et se convertir. « Mais il n'est jamais trop tard pour améliorer les conditions de ton existence, lui apprit Edgar. Car la vie est éternelle et tu es ce que tu es aujourd'hui à cause de ce que tu as été. Car tu es le coauteur avec le Créateur et un jour tu seras présente avec tous ceux qui l'aiment et attendent sa venue. »

Au cours de cette vie palestinienne, la destinée de son mari convergea avec la sienne. Il fut l'un des soixante-dix choisis pour répandre l'Évangile à travers le pays. Il échoua dans sa mission pour avoir pris certains des enseignements trop à la lettre, au lieu de les considérer symboliquement. Il avait été particulièrement choqué par le contenu purement spirituel de la parabole : « À moins que tu ne manges de Mon Corps, tu n'auras rien de Moi. » Il s'appelait Elias et était l'ami de deux des disciples, bien qu'il « penchât davantage en faveur d'André, plus sérieux, qu'en faveur de Pierre, plus impétueux », car il pouvait discuter avec André là où il ne pouvait que se disputer avec Pierre.

Leur Étude suggéra ensuite aux deux conjoints d'accorder leurs souvenirs relatifs aux disputes qu'ils avaient autrefois entendues entre les deux disciples. Cela leur permettrait de stimuler leurs attitudes positives dans leur vie actuelle.

« Car la loi du Seigneur est parfaite. Si elle est

appliquée, à condition de ne pas en abuser, elle permet de convertir l'âme. Comme l'entité l'a appris lorsqu'elle était Elias, soigner le physique sans modifier les données spirituelles et mentales n'est finalement pas d'un grand secours pour l'individu. »

Un dernier séjour a été évoqué – quoique très brièvement – en Égypte vers l'an 10 000 avant Jésus-Christ. David, sous le nom d'Atel-El, avait servi comme aide des médecins qui travaillaient dans un temple des guérisons; Myra avait été élevée et éduquée de la même manière, dans un temple semblable.

Cette période vit le développement d'une sous-race d'âmes primitives, qui évolua d'un état à peine supérieur à celui de l'animal à celui de corps « façonnés à l'image de Dieu ». Ces humanoïdes, ou mutants, avaient vécu dans l'Atlantide sous la forme primitive de créatures antédiluviennes, assimilables aux centaures ou minotaures de la mythologie grecque. C'étaient des créatures sans défense et des bêtes de somme pitoyables, que les habitants de l'Atlantide utilisaient comme esclaves; le but des médecins du temple était de hâter leur évolution grâce à la chirurgie corrective. Pour cela il fallut recourir à l'utilisation du laser, ainsi qu'à un rituel de purification entrepris au nom du Dieu Unique. À cette époque très reculée, on peut supposer que les deux âmes qui nous intéressent avaient été éduquées pour prendre soin des plus malformés et des plus démunis; il est également possible d'imaginer que l'âme de l'enfant mongolien qui leur avait été donné dans leur vie présente était le rappel de la compassion qu'ils avaient ressentie face à ces autres âmes se battant pour acquérir le statut d'êtres humains.

Cette expérience devait influer énormément sur

les liens qui allaient les unir tous trois. S'ils s'étaient égarés le long de leur chemin, ils ne s'étaient en tout cas pas beaucoup écartés. Les liens qu'ils avaient forgés en Palestine étaient trop forts pour se défaire.

Lequel des trois s'était égaré le plus récemment ? David, probablement. Sa vie précédant sa présente incarnation fut celle de William Cowper, un archiviste vivant au temps de la Révolution américaine, au moment où Washington tentait de rallier ses troupes démoralisées à Trenton, avant de reprendre l'avantage dans une bataille qui allait le mener à la victoire. Là, William Cowper, responsable du ravitaillement de cette partie de l'armée, fut impliqué dans un désastre qui se solda par la perte d'une partie des patriotes – tous des volontaires.

« Il faut maintenant laisser la place à un avertissement, poursuivit Edgar dans son Étude. Prends garde à un corps malformé, ou à un corps dont un membre ou une activité fait défaut; cela pourrait te valoir une grande peine. »

Apparemment, Cowper fit partie d'un groupe qui tomba dans une embuscade tendue par les soldats de l'armée britannique. Cowper tint ses propres officiers pour responsables du carnage, bien que ce ne fût pas leur faute. Cependant, le choc que provoqua en lui la vue de ses compagnons tués ou mutilés fut enfoui au plus profond de sa mémoire. Incapable de pardonner à ses supérieurs dans cette vie-là, cette incapacité s'était à nouveau manifestée dans sa vie présente, l'empêchant de trouver la sérénité à laquelle il aspirait. La vue d'un handicapé lui rappelait automatiquement cette amertume et ce sens de l'injustice, faussant ainsi son jugement, même si cela devait affecter son propre enfant.

Il avait un urgent besoin de faire preuve de

tolérance et de compréhension dans ses rapports avec autrui. Ce n'était qu'à ce prix qu'il pourrait aborder ses problèmes affectifs et émotionnels de façon constructive.

Ces deux Études ne laissèrent subsister aucun doute quant à l'avenir de Myra et David Cobler; ils allaient s'occuper de leur enfant mongolien jusqu'à ce que « celui qui est le Géniteur de la Vie décide de le rappeler à Lui ». Cela illustre parfaitement la prédominance de la loi de grâce sur la loi du karma.

Qu'en était-il de l'enfant lui-même ? Dans une Étude, on trouve une allusion à un enfant souffrant d'une arriération chronique. Son âme occupait une position importante à la cour d'Angleterre lors d'une vie antérieure; c'était alors un proche de Lord Buckingham, dont l'influence contribua à la décapitation de Charles Ier et eut même des répercussions à la cour de France, où sa liaison avec la reine faillit entraîner sa chute.

« L'entité se détourna des désespérés qui imploraient son aide, préférant satisfaire ses propres appétits. L'entité a été prise à son propre jeu; elle récolte ce qu'elle a semé. »

Pour les parents qui s'occupèrent avec dévouement et affection de l'enfant, l'Étude fut particulièrement favorable. « Grâce à votre amour, la conscience de cette entité se rendra compte du pouvoir de la vérité qui pousse les individus à protéger ceux qui dépendent de leurs bons soins; car l'âme de cette entité commence à se réveiller dans sa vie présente. Récoltez les fruits de la vérité, de l'espoir et de la miséricorde, de la gentillesse et de la patience, de sorte que cette âme apprenne enfin que je suis le gardien de mes frères ! »

Irène McGinley attira l'attention d'Edgar Cayce pour la première fois lorsqu'elle lui demanda une Étude physique, à l'âge de 17 ans. C'était une jeune fille intelligente et attirante, qui était déjà contrainte de garder le lit en raison d'un cancer de l'os du fémur; ses médecins avaient recommandé l'amputation de la jambe, juste au-dessous de la hanche, pour stopper l'évolution du cancer. Elle était issue d'une grande famille bourgeoise et la femme d'un de ses frères aînés vivait avec eux sous le même toit. Bien qu'elle eût ses propres enfants, Kit, la belle-sœur en question, prenait également soin d'Irène. Le traitement que suggéra son Étude physique prévint l'amputation de la jambe d'Irène et la mit rapidement sur la voie de la guérison. Mais ce qui nous intéresse ici, c'est surtout l'Étude suivante qu'elle demanda à Cayce.

Là encore, nous nous trouvons face à deux karmas, l'un physique, l'autre émotionnel, qui se croisent à un moment donné de l'existence de l'individu. Toutes les personnes concernées étaient conscientes des liens qui les unissaient, et rien ne transparaissait des conflits de caractère qui surgissent si souvent dans des situations de ce genre. La seule chose qui se manifestait ouvertement, c'était l'injustice de la maladie qui affligeait Irène.

« Une personne raffinée et de bon goût » : c'est ainsi que la première Étude de vie décrivit Irène. « Ses capacités mentales sont vives; l'influence de l'amour lui vaudra de grandes expériences... comme la recherche permanente du développement de ses capacités mentales et physiques. »

D'emblée, le ton est optimiste. Il laisse supposer l'existence d'une vie normale et productive. Cayce considéra Irène comme une rêveuse à l'imagination fructueuse; il laissa entendre que l'écriture serait pour elle la meilleure forme d'expression créatrice, mais que cela devait toujours rester ancré dans la réalité.

Dans sa vie précédente, elle avait été l'un des premiers pionniers en Amérique. Les beaux discours ne signifiaient alors pas grand-chose pour elle : elle jugeait les gens sur leurs actes, et non en fonction de leurs bonnes intentions. Elle était honnête et croyait sincèrement à ses convictions religieuses; elle était douée pour coudre, tricoter et filer la laine.

Sa vie précédente la situa à Rome lors du règne de l'empereur Néron, qui persécutait les chrétiens; elle était alors la fille d'un membre du gouvernement fortuné et influent. Parmi les femmes qui vivaient dans la maison, elle observait avec une certaine ironie l'impact qu'avait sur elles le christianisme. C'est ici que l'on retrouve les premières traces de sa malchance – « se moquer de la sincérité de quelqu'un d'autre entraîne des souffrances physiques... comme le ferait la haine, comme le ferait un comportement égoïste ».

Cayce commença la deuxième Étude de vie par une analyse de la mémoire de son âme. Celle-ci enregistre ses expériences dans le « souvenir akashique », qui correspond au monde mental, au même titre que le cinéma enregistre les images du monde physique.

On s'aperçoit maintenant que Kit, son actuelle belle-sœur, avait été la fille de l'un des gardes assignés à la ville romaine. Il y avait probablement un lien très étroit entre les deux jeunes filles, qui partageaient une passion réelle pour la musique. Kit était traitée sur un pied d'égalité. Kit était également secrètement convertie au christianisme et Irène la trouva de plus en plus attirée par les enseignements du Maître, bien qu'elle prît toujours soin de dissimuler ses sympathies lorsqu'elle assistait aux persécutions, au Colisée. C'était une conduite parfaitement compréhensible et logique, compte tenu des horreurs dont Néron était capable. Toute personne laissant apparaître des penchants pour le christianisme rejoignait les martyrs dans l'arène.

Les allusions de Cayce à des histoires d'amour malheureuses ont toujours été faites avec beaucoup de tact, mais dans ce cas, nous sommes amenés à constater que Kit attira sur elle l'attention d'un homme qu'Irène courtisait. Irène ressentit le besoin de se venger de cet homme et elle dénonça son amie aux autorités; elle pourrait de la sorte voir l'amant souffrir en assistant à la mise à mort de sa bien-aimée, dans les arènes du cirque. Assise à côté de lui, Irène exulta en voyant l'horreur sur son visage au moment où celle qu'il aimait fut dévorée devant ses yeux par une bête sauvage.

L'attitude d'Irène, provoquée par de la jalousie et de l'hystérie plus que par de la joie sadique, scella néanmoins le lien karmique. Le châtiment ne tarda pas à fondre sur elle : l'homme, le cœur brisé, ne se remit jamais de l'horreur du spectacle auquel il avait assisté et Irène le vit dépérir. Sa conscience fut tourmentée à chaque fois qu'elle entendait la musique que Kit et elle-même jouaient ensemble, surtout celle de « la lyre, de la harpe ou de la cithare ». Finalement, ses remords furent la cause d'interminables souffrances.

« Dans sa vie présente, c'est maintenant au tour de l'entité de passer sous le joug. C'est elle qui inspire la pitié, c'est d'elle que l'on se moque, elle que l'on méprise parce qu'elle ne peut prendre part à aucune activité.

» L'entité peut maintenant surmonter les difficultés qui se sont abattues sur elle, si elle sait de quelle manière mener sa vie : sans mépris, sans raillerie, mais avec patience et avec courage, avec mérite, en trouvant son plaisir dans la musique, dans la bonté, dans les bonnes paroles, en parlant de ce qui peut mener à la perfection de l'esprit, à la perfection de l'âme et à la perfection du corps... car les faiblesses de la chair sont les cicatrices de l'âme, qui ne peuvent être guéries qu'en exécutant Sa Volonté, qu'en étant purifiées dans le sang de l'Agneau. »

Irène a été punie pour le crime passionnel qu'elle a commis – la froide trahison d'une rivale dont elle partageait secrètement la foi religieuse.

Qu'en est-il du karma de Kit ? Dans l'Égypte préhistorique et en Arabie de nouveau, elle a subi des défaites et des victoires. En Égypte, on lui apprit à s'occuper des enfants, ce qui lui permet dans sa vie actuelle de prendre soin d'Irène; mais elle fut vaniteuse de sa position sociale en Arabie, ainsi que rancunière lorsque l'âge l'obligea à y renoncer.

Dans la période romaine, elle fit de grands progrès au niveau spirituel : les sermons de l'apôtre Paul, qu'elle avait entendus lors des réunions secrètes tenues dans les catacombes, l'avaient convertie si complètement qu'elle mourut sans éprouver de ressentiment à l'égard d'Irène.

Dans sa vie suivante, cependant, alors qu'elle avait douze ans et demeurait dans une auberge en France, elle reconnut le roi Louis XVI et Marie-Antoinette et les fit arrêter, alors qu'ils tentaient de fuir vers l'Autriche. L'atmosphère enfiévrée de cette époque lui donna envie de prendre une part active à la Révolution; dès qu'elle fut en âge de quitter la maison, elle partit pour Paris, où elle ne tarda pas à acquérir une position influente dans les milieux politiques; mais il est probable que son ascension sociale fut la cause même de sa chute.

Dans sa vie actuelle, elle avait toutefois inhibé ses ambitions; elle s'était sagement contentée de se marier et de se consacrer à l'éducation et au bien-être de sa famille. L'aide généreuse dont elle gratifia sa jeune belle-sœur contribua grandement à l'équilibre des dettes karmiques qu'elle avait contractées auparavant. Elle avait même réussi à surmonter sa peur innée des animaux, qu'elle avait héritée de sa mort dans les arènes romaines.

Irène, quant à elle, guérie grâce à son Étude physique, suivit le conseil d'Edgar et se mit à jouer de la harpe, découvrant à son grand étonnement qu'elle possédait un talent inné pour la musique. Elle en fit sa profession. Aujourd'hui, retirée de la scène, elle continue à jouer de son instrument, dans le jardin d'enfants dont elle s'occupe, pour stimuler l'amour de la musique chez ses jeunes auditeurs.

Ainsi donc, Irène et Kit constituent un bon exemple d'application positive des karmas émotionnel et physique. En réalité, il est très rare de voir l'un se manifester sans que l'autre fasse sentir ses effets dans un domaine tout proche.

Il existe cependant une exception, où le karma émotionnel s'est manifesté seul, sans aucune conséquence d'incapacité physique – seule l'âme attendait une récompense pour sa « bonne conduite ».

Deux ans avant la mort d'Edgar Cayce, Norah Connor, une jeune veuve de 31 ans, fit appel à lui pour un conseil d'ordre professionnel. « Oui, commença-t-il, nous avons vos mémoires ici. Quel désordre, et pourtant quelle âme talentueuse !

» Nous nous trouvons en présence d'une entité qui combine tout ce qui est beau, gracieux et adorable; et en même temps tous les malheurs qu'il est possible d'imaginer.

» La souffrance a considérablement purifié l'esprit; elle l'a dirigé dans le sens de l'aide à son prochain. C'est merveilleux, car il est hautement profitable pour la plupart des individus de se trouver en présence de cette entité.

» Quel fantastique appui cette entité serait pour une école où l'on enseignerait la spiritualité, ou pour une maison, où l'on apprendrait à bien tenir un foyer ! C'est là que résident les meilleures possibilités de l'entité.

» Dans les conditions actuelles (la Deuxième Guerre mondiale), consacre-toi aux activités de la Croix-Rouge. Car tu as la possibilité de secourir beaucoup d'hommes.

» Mais lorsque les conditions de vie auront changé, joins-toi à des groupes de musique ou d'art, de science sociale, voire même d'économie politique. Tes activités doivent avoir un rapport avec l'émotion et l'éducation. Dirige-toi dans ces directions, car là tes possibilités sont immenses.

» Ne laisse pas la frénésie des autres te détourner de ce que tu sais être ton devoir spirituel et mental. Garde précieusement cette beauté de l'amour, de l'espoir, de la gentillesse, de la grâce, qui est la caractéristique innée de ton entité. »

L'Étude s'attacha ensuite à délimiter la vie antérieure de l'entité : elle était l'épouse d'un garde frontière au début de la colonisation de l'Amérique. Là, elle apprit à veiller sur les femmes et les enfants, à maintenir l'unité de la communauté, à assurer le ravitaillement malgré le harcèlement des

Indiens et à panser les blessures des soldats. « Alors, sous le nom d'Anna Corphon, l'entité s'attacha à créer un environnement vivable pour elle et les siens; dans cette tâche, bien des hommes auraient pu l'envier. Car, en dépit de son dur labeur et de ces rudes conditions, l'entité eut de nombreux amis : elle avait appris que les êtres humains devaient s'entraider et ne pas s'offenser. En adoptant pareille attitude, il devient vraiment possible de trouver la paix intérieure. Il est indispensable d'atteindre soi-même l'harmonie, avant de pouvoir en faire bénéficier les autres.

« L'entité y est parvenue, l'a perdue quelquefois; mais en gardant sa confiance en Lui, elle ne se lassera jamais de faire le bien.

» Avant cela, l'entité se trouvait en Palestine, lorsque le Maître se trouvait lui aussi sur terre. L'entité était avec les enfants de Béthesda, qui reçurent Sa bénédiction. D'où le désir chez elle, toujours actif et latent, de faire partager Sa joie, Sa sollicitude, Sa miséricorde. À cette époque, l'entité, du nom de Samantha, s'appliqua à encourager les faibles pour qu'ils ne succombent pas à la tentation de la chair, qui menace tout être humain. En conséquence, l'entité est une hôtesse gracieuse, particulièrement aimable tant avec ceux qui lui sont proches qu'avec les autres. »

Une des questions écrites qu'elle posa à Edgar Cayce fut la suivante : « Pouvez-vous m'indiquer quelle Église je devrais rallier pour accomplir mes objectifs ? »

« Sache plutôt que l'Église est en toi, répondit-il. Choisis-en une, qu'importe laquelle, pourvu que ce ne soit pas en fonction de tes propres intérêts, mais de ceux de ton prochain. Que ta vie consiste à faire connaître Jésus, le Christ. »

« Avez-vous un dernier conseil à me donner ? » fut sa dernière question. « Pourquoi dire à la beauté d'être superbe ? Contente-toi d'être douce », lui répondit Edgar Cayce avec une galanterie exceptionnelle.

Un portrait assez clair de Norah Connor peut être fait sur la base de la lettre de remerciement qu'elle envoya ensuite à Edgar Cayce : « Cette Étude exprime mes aspirations et mes désirs les plus secrets. Mon désir le plus vif a toujours été de tenir un ménage et j'adore servir les gens. En ce moment, je m'intéresse beaucoup aux sciences sociales, à la géographie, à l'histoire et à l'anglais.

» Quant à la musique et à l'art, j'ai pu m'y intéresser davantage grâce aux services religieux. Je me rappelle maintenant qu'au collège j'avais obtenu un A en arts appliqués dans le domaine de la religion.

» Je suis consciente du besoin que j'ai de vivre en paix et en harmonie avec moi-même, et de communiquer cette harmonie à autrui. Et lorsque je perds cette paix et cette harmonie, je me sens comme une âme égarée qui lutte pour retrouver son droit chemin.

» J'ai changé d'emploi si souvent que je me demande si je serai jamais capable d'en garder un plus d'un an. Je me rends compte que je ne peux me décider qu'en fonction des occasions qui se présentent, mais je me contente de cette situation. (Comme vous l'avez dit, quel désordre !) »

Jusqu'à la fin de la guerre, Norah se dévoua pour la Croix-Rouge et fit la découverte de sa propension naturelle pour l'organisation. Elle accéda à un poste à haute responsabilité. Les cas graves demandaient le meilleur d'elle-même et, à la fin des hostilités, elle fut décorée pour les services rendus. Elle continua à travailler pour la Croix-Rouge, se spécialisant dans les secours en cas de catastrophe.

Comme Hugh Lynn Cayce devait le noter dans un rapport qu'il fit en 1957 : « Mme Connor continua à œuvrer pour la Croix-Rouge. Nous nous demandons si les missions de secours qu'elle a été amenée à entreprendre le long du Delaware et en Louisiane l'ont ramenée dans les régions où elle avait déjà été avec les pionniers.

» Elle eut quelques problèmes avec un de ses supérieurs, lors d'une mission, qui lui reprochait son zèle frisant la "frénésie", selon lui.

» Elle est maintenant à l'université de Boston, responsable d'un dortoir de 150 filles. Elle a l'intention de suivre des cours qui la prépareront à travailler dans un établissement plus modeste, où elle pourra se consacrer à l'éducation des jeunes filles, comme le lui conseillait son Étude. Elle appréciait spécialement les activités en plein air et le camping.

» Il est intéressant de noter que tout cela confirme pleinement, à mon avis, les observations faites durant l'Étude. »

La peur de l'enfantement

« Je suis au bord de la folie et du suicide, je suis la femme la plus misérable de la terre, une sorte de démon me possède. » C'est un extrait d'un des dossiers les plus complets d'Edgar Cayce.

Flora Lingstrand, née en 1879, avait 46 ans lorsqu'elle écrivit à Edgar Cayce pour lui demander de l'aide. Ses problèmes avaient débuté avec sa mère déjà névrosée, qui était de plus en plus terrorisée à l'idée de mourir à la naissance de chacun de ses six enfants. L'enfance de Flora fut tourmentée par les obsessions lugubres de sa mère. Au moment de partir mener sa propre vie et de se marier, elle se retrouva hantée par la phobie maternelle. Son mari était un homme sympathique et compréhensif qui fit tout son possible pour la comprendre et lui venir en aide; mais il ne pouvait en aucun cas contrôler une naissance et elle était si terrifiée à l'idée d'être enceinte qu'elle finit même par se séparer de son époux. Il continua à l'aider en lui faisant parvenir de l'argent et, dans un moment d'égarement, elle décida de se faire enlever les ovaires.

Dans les lettres incohérentes qu'elle envoya à Edgar Cayce, Flora laissa supposer qu'elle avait été soumise à un traitement au radium et que les médicaments qu'on lui avait administrés par la suite avaient entraîné une accoutumance à la drogue. Ces symptômes s'accompagnaient d'une boulimie chronique et l'avaient amenée à consulter divers psychiatres.

«Je ne peux plus me rendre dans un autre hôpital, car les analystes ne me parlent que de sexe... ils me disent que l'ablation de mes ovaires est la cause de tous mes maux et de la terreur que m'inspirent les enfants; ils m'ont ensuite dit que je ne serais pas soulagée tant que je ne retournerais pas auprès de mon mari. J'ai peur et cette crainte est insupportable.»

La vie de Flora était tragique. Son obsession l'aveuglait tant qu'elle ne se rendait pas compte des besoins des autres, alors que c'était là sa seule chance de salut. À ce jour, sa correspondance volumineuse constitue un dossier pathétique. Mais les remords que Flora y exprimait ne semblaient pas sincères. Regrettait-elle réellement les souffrances qu'elle faisait endurer aux autres, en particulier à son époux ?

Son Étude de vie la rassura peu à peu : son cas n'était pas aussi désespéré qu'elle voulait bien le croire; mais il était également précisé que la source de tous ses maux résidait dans le besoin qu'avait son âme de se corriger et de surmonter ses vieilles obsessions.

« Aimable sur bien des points, avec de nobles aspirations, mais la plupart jamais atteintes ! La réussite est à portée de main et se détourne de son but au dernier moment. Ses intentions sont bonnes. Pour les actes qui viennent d'elle-même et pour l'utilisation de sa volonté à des fins propres, ce n'est pas bon. Ses relations avec autrui, en grande partie excellentes... avec elle-même, négligeables. »

Sa vie précédente fut celle de Sara Golden, qui vint à Roanoke, en Caroline, avec les mineurs, dans cette « colonie perdue » qui disparut sans laisser de trace en 1590.

Là, elle vit tous ses enfants « emmenés de force et torturés; l'entité vécut dans la crainte le restant de ses jours ». Quand elle perdit la raison, elle commença à maudire Dieu, qui avait permis la mort de ses enfants. « Cela se traduit dans le présent, pour l'entité, par la crainte de porter des enfants et a favorisé l'introduction de forces maléfiques dans le sein de l'entité. »

Elle était donc repartie sans espoir de pardon de la part de Dieu, qu'elle avait renié. Mais ce n'était là qu'une manifestation de sa propre faute, et non la revanche d'une quelconque divinité séculière. C'est pourquoi son péché n'était dirigé que contre elle.

La vie précédente fut gaspillée à la cour de

France sous le règne de l'un des Charles, donc avant 1574, et se déroula pendant une sombre période de traîtrise et de meurtres. En tant que l'un des commis du roi, l'entité s'adonna à la débauche, annihilant ainsi toute forme de bonheur. Il faut remonter jusqu'à la Grèce antique pour lui trouver une âme non corrompue. Et en Égypte, du temps de la préhistoire, elle était « immaculée et puissante », en tant que prêtresse dans un temple d'initiation.

L'étude ne se termine sur aucune promesse de rédemption rapide : « L'entité ne peut s'améliorer qu'en rendant service à autrui, car en servant ses propres intérêts sans respect pour le bien qui pourrait être fait aux autres, toute amélioration est impossible. Lorsque nous érigeons une barrière entre nous-mêmes et nos associés, nos amis ou nos parents, il n'appartient qu'à notre volonté de la faire disparaître; il est nécessaire pour chaque individu d'abattre cette barrière.

» ... Ces forces spirituelles, qui sont innées, peuvent être subjuguées à un point tel par les désirs de la chair qu'elles peuvent être réduites à néant. Elles sont pourtant toujours prêtes à être stimulées et à faire valoir leurs prérogatives dans la vie de chaque individu. Mais l'individu doit auparavant se dépasser pour qu'il en soit ainsi. »

L'Étude suggéra à Flora de développer son don pour l'écriture et de choisir pour sujet une philosophie positive qui aurait une influence stimulante sur ses lecteurs.

Flora Lingstrand saisit la chance que lui offrit Edgar, avec la frénésie de quelqu'un en train de se noyer et qui se raccroche à ce qu'il trouve. Mais il était évident qu'en dépit de la gratitude dont elle fit preuve elle s'attendait à une espèce d'intervention miraculeuse, qui lui aurait évité de faire tout effort personnel pour modifier son comportement.

Pourtant, Edgar déclarait clairement qu'il n'était pas en son pouvoir d'agir à la place de ses patients. Et il ne dévia jamais de son unique dogme : seule la foi en un Dieu bienfaisant permettait à l'âme de s'imposer et de faire valoir ses droits.

D'autre part, Cayce n'était pas homme à mâcher ses mots lorsqu'il avait en face de lui quelqu'un faisant preuve de lassitude ou ne cessant de se plaindre; il mettait alors cela sur le compte d'un cas malencontreux de karma.

« Y a-t-il une sorte de dette karmique dont je devrais m'acquitter auprès de l'un ou l'autre de mes parents ? lui demanda une jeune fille. Et devrais-je rester avec eux jusqu'à ce qu'ils fassent preuve de davantage d'attention à mon égard ? »

« Qu'est-ce qu'une dette karmique ? lui répondit-il sur un ton cassant. Vous êtes en train de faire un cauchemar. Il ne s'agit pas d'une dette karmique entre vous et vos parents; c'est une dette karmique envers vous-même, qui ne peut être acquittée que maintenant, par vous-même ! Et cela est vrai pour chaque âme ! »

« Mais alors, vaudrait-il mieux que je reste dans le même appartement que mes parents, ou dois-je emprunter de l'argent et trouver un endroit où je puisse demeurer seule ? »

« Il serait préférable de rester, lui conseilla-t-il. Et si l'antagonisme entre vous et votre famille devait persister, alors là, déménagez. Pour le moment, une séparation laisserait des marques d'animosité et de rancune; comme vous le savez, cela pourrait donner lieu à une situation de karma. »

À propos de sa dernière question, il dissipa sans ambiguïté les craintes de la jeune fille : « Qu'y a-t-il finalement de faussé dans ma personnalité, qui me retient, qui inhibe mon comportement physique et mental ? »

« Rien, répondit Edgar aimablement, évitez de faire de fausses évaluations de votre personnalité dans votre expérience actuelle. »

L'arrogance et l'autosatisfaction

Nous allons maintenant nous pencher sur le karma émotionnel d'une très belle femme, âgée d'une trentaine d'années, alcoolique et nymphomane. Lorsqu'elle ne buvait pas, elle condamnait amèrement sa propre conduite, mais restait incapable de la modifier. Son Étude de vie lui apprit qu'elle avait hérité sa nymphomanie d'une incarnation française; elle était alors la fille du roi. Elle avait vécu une période d'immoralité et de matérialisme et n'avait pas hésité à faire passer en jugement des femmes plus faibles qu'elle, laissant peu de place à la tolérance et à la pitié dans ses condamnations arbitraires. Elle finit néanmoins par se retirer dans un couvent pour éviter de subir davantage l'influence néfaste de son entourage. Mais le mal était fait.

« Tu condamnas tous ceux dont les activités furent hors la loi, lui apprit son Étude. Mais celui qui se laisse tenter par la chair, ne commet-il pas une plus grande faute ? Car chacun devrait savoir que la condamnation des autres est déjà une condamnation de soi-même. Quel est alors le plus grand péché ? »

La haine et l'arrogance délibérée avaient également caractérisé l'existence de cette femme lorsqu'elle vécut en Perse. Elle avait été la fille d'un chef de tribu, capturée par les Bédouins et donnée de force en mariage à un jeune capitaine, qui tomba sincèrement et profondément amoureux d'elle. Ç'aurait pu être l'occasion pour son âme de progresser, mais pour une femme si fière et acharnée, ce fut une dégradation intolérable. Lorsqu'elle donna naissance à une fille, elle ne trouva aucune consolation dans sa maternité. Incapable de surmonter sa haine et le mépris que lui inspiraient ses ravisseurs, elle finit par se suicider, abandonnant son enfant à son triste sort.

Aujourd'hui, sans amis et sans mari, elle désire avec tant d'ardeur une petite fille qu'elle s'est même préparée à en adopter une. Son projet a cependant été contrarié à cause d'une histoire d'amour compliquée et obsédante, qui s'est éternisée et lui a fait perdre une bonne partie de sa vie, si ce n'est la meilleure. Au sujet de son amant, avec qui elle ne pouvait décidément pas s'entendre, elle demanda : « Pourquoi n'a-t-il fait preuve que d'injustice à mon égard, alors que j'ai essayé inlassablement d'être juste avec lui ? »

« Il vous traite dans le présent comme vous l'avez traité dans votre vie en Perse, lui répondit Cayce. "Ce que tu as fait aux autres, on te le fera à toi-même !" »

Ce même effet de boomerang frappe un jeune homme qui avait été caricaturiste à la cour du roi Louis XVI. Il n'avait pas manqué de se moquer des membres infortunés de la cour qui n'avaient pu dissimuler leur homosexualité. Dans sa vie présente, il doit sans relâche lutter contre cette même tendance et, bien que son Étude lui fût d'un grand secours, elle mit à nouveau en évidence que « ce que l'on fait aux autres, on le subit soi-même ».

Le credo définitif

La philosophie qui émane des Études de vie d'Edgar Cayce prend une telle dimension universelle dans l'exemple suivant que l'on est tenté de l'appeler le « credo définitif » de chaque âme vivante, quelles que soient les conditions d'âge ou de sexe.

« Depuis Saturne, nous pouvons retracer les soudains changements qui ont été et sont caractéristiques de l'entité – et dans cela, Mars a joué un rôle. Lorsque ces deux planètes se trouvent associées, il se dégage d'elles une influence néfaste, une sorte de colère ou de folie, provoquant une profonde confusion pour l'être mental de l'entité.

» Pour cette raison, il importe que l'entité se fixe constamment un idéal, non pour le besoin d'être idéal, mais plutôt pour disposer d'un modèle qui lui permette de juger ses propres actes. Car tout idéal de justice ne peut jamais s'appliquer qu'à soi-même.

» Car si tu disposes de la vie, tu dois la donner ! Comme les lois s'appliquent à la spiritualité, elles s'appliquent dans la pratique. Car l'Esprit est le Fondateur !

» Si tu veux avoir de l'amour, tu dois te montrer aimable. Si tu veux avoir des amis, tu dois te montrer amical. Si tu veux la paix et l'harmonie, cesse de ne penser qu'à toi, agis avec harmonie et paix dans tes associations.

» Car chaque âme suit le processus de son développement pour devenir pleinement consciente de l'existence de son Créateur. Le Seigneur a dit : "Comme tu agis à l'égard du plus modeste de ceux que tu rencontres, jour après jour, ainsi tu agis à l'égard de ton Dieu."

» Ne sois pas déçu et ne te méprends pas. On ne se rit pas de Dieu. Car ce que l'homme a semé, l'homme le récolte et il est sans cesse confronté à lui-même !

» Si tu essaies d'agir par toi-même, c'est alors le karma. Fais plutôt le bien, comme Il l'a fait, à ceux qui font preuve de haine à ton égard et là tu vaincras, quoi que tu aies fait à tes semblables ! »

« Laissez venir à moi les petits enfants »

Le cas le plus émouvant, dans son sens le plus positif, est probablement celui du karma émotionnel qui concerna directement Edgar et Gertrude Cayce. Leur second fils, Milton Porter Cayce, est né le 28 mars 1910 à 20 h 30 et est décédé deux mois plus tard, le 17 mai à 11 h 15. Edgar, celui qui fut capable de sauver la vie de tant d'autres enfants, ne fut pas capable de sauver celle de son propre fils et, bien qu'il ne parlât jamais du sujet, cette tragédie le hanta jusqu'au jour où il rêva, pendant la Première Guerre mondiale, qu'il rencontrait un groupe de ses élèves de l'école du dimanche, alors que ceux-ci avaient été tués sur un champ de bataille, dans les Flandres. Toujours en rêve, il se dit que s'il avait été capable de voir ces jeunes soldats, heureux et toujours en vie, il devait bien y avoir un moyen de rencontrer son propre fils. Aussitôt, il se trouva en présence de plusieurs rangées de jeunes enfants et de bébés et, sur l'un des rangs les plus élevés, il vit son enfant qui lui souriait. Il se réveilla, consolé enfin de ce chagrin, et jamais plus ne se fit de souci pour le bien-être et la sécurité de l'âme de son enfant.

Presque vingt ans plus tard, le 25 mai 1936, il commença une Étude pour un garçon de 13 ans, fils d'un médecin, né à Pékin, en Chine, le 31 mars 1923. Comme à son habitude, il remonta les années depuis le présent jusqu'au moment de la naissance de l'enfant, remarquant l'important changement que fut pour lui son arrivée aux États-Unis, en 1932.

Puis il annonça, alors que personne ne s'y attendait, qu'il était très bien placé pour se pencher sur son cas. « Car l'entité, qui s'appelle maintenant David Hoffman, est arrivée sur la terre lors de son expérience précédente pour quelques semaines seulement – du 28 mars 1910 à 20 h 30 au 17 mai à 11 h 15. » Sa mère pourrait le confirmer, ajouta-t-il, en faisant référence à Gertrude; elle le reconnaîtrait instinctivement en le voyant. Puis il expliqua que le bébé était mort à cause « d'une tension trop forte lors de la période de gestation, au niveau de l'esprit, à laquelle l'âme n'avait pu résister ». Dans ces conditions, il n'y avait que très peu, si ce n'est aucune chance pour l'âme de se développer. Mais maintenant qu'il était établi que David avait été son fils, « la connaissance de cette association jouera pour lui le rôle d'expérience utile dans le développement de son âme ».

Edgar parla ensuite avec détail des faiblesses physiques dont l'enfant pourrait souffrir. Le système digestif était particulièrement délicat et cela pouvait avoir des répercussions au niveau du colon et de l'appendice... « Soyez conscients que cela ne nuira pas aux chances de l'entité; car... ces faiblesses sont le rappel matériel d'expériences antérieures sur la terre. »

Dans la vie qui avait précédé son bref séjour terrestre en tant que Milton Porter Cayce, il avait servi comme secrétaire pour le compte d'Adams et Hamilton, à Boston, à l'époque de la rédaction de la Constitution; pour cette raison, il serait particulièrement capable, dans sa vie présente, de servir des personnalités de haut rang, « car les idéaux de l'entité sont élevés ».

Dans sa vie précédant celle-ci, « l'entité était l'un des enfants d'un certain Bartellius, en Palestine; il reçut la bénédiction du Maître, Jésus. L'enfant se trouvait parmi ceux qui, par la suite, eurent à endurer les souffrances en raison de leurs croyances ».

C'est sur la base de cette expérience que l'entité développa ses idéaux; en effet, dans chaque Étude concernant un enfant ayant été béni par la main du Christ, le souvenir indélébile de cette bénédiction se retrouvait dans la mémoire de son âme.

Sa première vie se déroula dans l'Égypte préhistorique, où il fut l'un des rescapés du continent perdu de l'Atlantide. « Son nom était alors Aart Elth. Cela, on peut en être certain, était le nom égyptien d'un maître consacré qui travaillait pour le temple.

» Bien qu'encore jeune au moment de son voyage en Égypte, l'entité prit une part active au développement des techniques destinées à la taille des pierres pour les temples.

» Ainsi, dans le présent, cette expérience sera d'une grande utilité pour l'entité (quoiqu'à un niveau supérieur), qui saura tirer parti du meilleur de ses forces.

» Cela devrait l'aider tout d'abord à apprendre à se connaître elle-même, à connaître ses faiblesses physiques, ses propres capacités mentales... et, partant de là, l'entité sera amenée à réaliser de grandes expériences au cours de sa vie... Car, au fur et à mesure du développement du corps et de l'esprit, chacune des branches suivantes offrira des possibilités intéressantes; les travaux d'ordre mécanique, la musique, ou encore la biologie, spécialement le monde des insectes et leurs influences sur l'environnement humain. »

Lorsqu'Edgar revint à la conscience, sa femme lui dit, des larmes de joie dans les yeux, qu'il avait grandement contribué à la préparation de la nouvelle vie de son fils perdu.

Un an plus tard, le Dr Hoffman revint à New York avec son fils pour rencontrer à nouveau Edgar et Gertrude Cayce. Évidemment, personne n'avait jamais dit à David les liens qui l'unissaient aux Cayce; et Gertrude eut bien du mal à dissimuler ses sentiments quand elle vit le jeune garçon.

Il est difficile d'imaginer situation plus unique dans l'histoire d'Edgar Cayce, qui s'est dévoué sans relâche au service de son prochain. Cette expérience a eu le double avantage de consoler des parents de la perte d'un enfant et d'aider les parents d'un garçon de 13 ans à le préserver de la maladie et à le diriger dans la bonne voie dès ses premières années.

5

L'élément de crainte
du karma émotionnel

Patricia Farrier, une célibataire de 45 ans, apprit au cours de son Étude qu'elle avait passé sa vie précédente près de Fredericksburg, en Virginie, sous le nom de Geraldine Fairfax, à une époque où l'Amérique était encore une colonie britannique. On lui dit qu'il restait des traces de sa vie, « même en sculpture ». Ainsi, elle et sa sœur Emily se rendirent à Fredericksburg, dans l'espoir de retrouver ces traces.

Au cours du voyage, les deux sœurs eurent l'occasion de passer une nuit dans une petite auberge de campagne. Ayant décidé de se coucher de bonne heure, après une journée bien remplie, elles ne tardèrent pas à s'endormir. Dans la nuit, Emily fut réveillée par des bruits étouffés qui provenaient du lit de sa sœur. Elle alluma la lumière et découvrit Patricia en train de s'étouffer. Son visage était écarlate et elle luttait désespérément pour retrouver sa respiration. Malgré tous ses efforts, Emily fut incapable de la tirer du coma profond dans lequel elle était tombée.

Affolée, Emily demanda de l'aide au propriétaire de l'auberge; mais rien n'y fit et Patricia resta dans le coma. À l'arrivée du médecin, elle reprit lentement conscience, et sa respiration redevint peu à peu normale. Les deux sœurs quittèrent l'hôtel précipitamment le lendemain matin et se rendirent immédiatement chez Edgar Cayce. Dans son Étude suivante, Patricia demanda : « Pourquoi ai-je si peur maintenant ? »

On lui répondit qu'elle avait eu de nombreuses alertes, au sens physique du terme, au cours de ses vies précédentes, et que celles-ci l'avaient suivie jusqu'à sa vie actuelle.

À Fredericksburg, alors qu'elle n'avait que 13 ans, elle allait jouer dans la cave où étaient entreposés les céréales, les légumes et les pommes de terre en prévision de l'hiver. C'était probablement un endroit où l'enfant n'avait pas le droit d'aller seule; un jour, un léger tremblement de terre secoua la région, provoquant un affaissement du plancher de la cave où elle se trouvait. Les étagères sur lesquelles étaient entreposés les vivres s'écroulèrent et elle se retrouva prise sous une avalanche d'objets. Elle faillit mourir étouffée tant elle fut paniquée, en proie à une crise d'hystérie; de cette expérience lui restaient à présent sa claustrophobie, sa peur de la foule et sa crainte quasi permanente d'étouffer. Cette association ne se manifesta toutefois jamais de manière évidente jusqu'au jour où elle et sa sœur se retrouvèrent dans cette chambre d'hôtel. L'hôtel devait être construit à l'emplacement de l'ancienne maison où Patricia avait vécu, ou en était suffisamment rapproché pour raviver ses souvenirs et lui rappeler les dangers qu'elle avait courus dans sa vie antérieure.

Son Étude lui conseilla de canaliser son énergie vers une sorte d'idéal positif, plutôt que de la gaspiller en craintes inutiles. Son karma lui offrit une excellente possibilité de développer sa foi religieuse. En Palestine, elle avait été parmi les témoins qui avaient assisté à la résurrection de Lazare par Jésus-Christ et le Nouveau Testament lui était très familier.

Elle suivit donc ces conseils et rencontra un vif succès en organisant un groupe de prière qui consacrait plusieurs heures chaque jour à prier pour Edgar Cayce, lorsque lui-même utilisait ses propres ressources pour secourir les autres.

Toute la dignité et la simplicité d'Edgar Cayce sont d'ailleurs parfaitement bien illustrées dans la lettre de reconnaissance qu'il adressa à Patricia :

« Chère mademoiselle Farrier, je ne saurais vous dire combien j'ai apprécié votre lettre du 15. Vous n'imaginez pas à quel point votre groupe de prière – en tant que groupe et pour les individus qui le composent – m'a aidé. J'en suis arrivé à dépendre beaucoup de lui. Je me sens comme Moïse lorsque Joshua et Aaron durent lui tenir les mains en l'air ! J'ai la volonté, mais l'être humain est faible – et il est absolument nécessaire de pouvoir compter sur des amis sûrs lorsque nos propres forces viennent à manquer. Je vous assure que j'ai puisé beaucoup de forces dans les efforts et la coopération de chaque membre de votre groupe. Je vous remercie encore beaucoup et vous suis sincèrement reconnaissant.

Edgar Cayce, le 18 décembre 1931 »

Patricia Farrier mourut d'un cancer en janvier 1939 et Edgar Cayce correspondit avec elle jusqu'à la fin de sa vie, tout en donnant des conseils à sa sœur sur la meilleure façon de soulager la malade. Lorsqu'elle demanda combien de temps encore

« elle devrait souffrir dans de telles conditions »,
il la consola en lui assurant qu'il ne s'agissait là
nullement d'une punition, mais plutôt d'une leçon
de patience pour son âme, « tout comme Jésus fit
l'apprentissage de l'obéissance au travers de la
souffrance ».

Tout aussi émouvante fut la compréhension
qu'Edgar Cayce montra à l'égard de Jane Clephan,
une étudiante de 21 ans, qui souffrait d'un complexe
d'infériorité l'empêchant d'entreprendre quoi que
ce soit.

D'emblée, il lui parla de ses dons pour la musique,
la pressa de les cultiver. Il lui affirma également
qu'elle pouvait devenir pianiste de concert et enseigner le piano, quand elle aurait acquis suffisamment
d'assurance. Il lui déconseilla cependant de se marier
avant d'avoir atteint une certaine maturité, « car le
mariage pourrait la décevoir et la décourager ».

Edgar apprit tout cela d'elle à partir de sa vie
précédente en France, où elle fut l'épouse d'une
brute, qui ressentait le besoin « de dominer la
beauté et l'affabilité de l'entité, recourant même
parfois à la force pour parvenir à ses fins ». La
douleur des séances de flagellation que lui infligeait
son mari était encore présente dans sa mémoire.
« D'où la crainte de la punition dans la vie présente,
la crainte d'être mal comprise. »

« L'entité était alors une musicienne, mais son
élan fut brisé par son mariage. C'est ainsi que,
dans sa vie actuelle, l'entité doit déterminer quel
type de relations avec autrui elle désire, puis concrétiser ce désir... Car ceux qui se montrent ami-
caux ont des amis ! »

Son Étude décrivit ensuite sa vie au temps des
persécutions des premiers chrétiens.

« L'entité accepta les enseignements des apôtres de Jésus; cependant, la menace des persécutions devint à ce point odieuse que l'entité ne se préoccupa plus que de rester à l'écart des querelles, des blessures, des insultes et des diffamations...

» Mais sache, puisque tu vis consciemment avec la foi en le Créateur, que tu peux regarder chacun dans les yeux et sache que si tu n'as fait rien que du bien en pensées et en actions, tu peux rester aux côtés de ton Créateur. Et si le Seigneur est de ton côté, qui donc peut être contre toi?...

» Auparavant, l'entité se trouvait en Égypte, au temps où l'on purifiait le corps pour qu'il puisse servir activement dans les temples. L'entité mena alors une vie de dévouement, se consacrant aux tâches attribuées aujourd'hui aux infirmières, soignant ceux qui étaient physiquement ou mentalement malades.

» Ces différentes phases représentent une partie des désirs et de l'expérience actuelle de l'entité, pour autant que la timidité ne l'empêche pas de les mettre en pratique.

» Quant aux capacités actuelles de l'entité : tout d'abord, va à la découverte de toi-même et de ton idéal, mentalement, spirituellement et physiquement; puis fais de même dans tes relations avec autrui.

» Étudie la musique, soit pour l'enseigner, soit pour donner des concerts. Car c'est dans ce domaine que tu trouveras l'harmonie de la vie, l'harmonie de l'expression, l'harmonie de ta relation avec les forces créatrices. Je suis prêt pour les questions. »

Jane : « Aurai-je jamais des amis intimes ? »

E.C. : « Si tu œuvres dans les domaines que je t'ai indiqués, oui. »

Jane : « Quelle est la cause de mon manque d'assurance ? »

E.C. : « La condamnation de toi-même ! Ne condamne jamais ! Apprends plutôt, et vis selon toi-même, comme nous te l'avons conseillé. »

Jane : « De quels instruments de musique devrais-je apprendre à jouer ? »

E.C. : « De préférence le piano, mais n'importe quelle sorte d'instruments à cordes. »

Jane : « Mes capacités mentales et ma condition physique me permettent-elles de poursuivre mes études à l'université ? »

E.C. : « De toute évidence ! Continue dans cette voie ! »

Jane : « Pourquoi n'ai-je pas fait partie de l'Association des étudiantes, en février dernier ? »

E.C. : « Par crainte ! Comme nous l'avons dit, fais ce que tu voudrais que les autres fassent pour toi ! »

Jane : « Quel est mon quotient intellectuel ? »

E.C. : « Cela dépend de la manière dont on le juge. Il est suffisant pour tes exigences, si tu prends la peine de t'appliquer – tout d'abord sous l'angle spirituel et mental, puis matériel. »

Jane : « Comment puis-je surmonter la peur intense qui m'habite – la peur de rencontrer d'autres gens et de parler avec eux ? »

E.C. : « Comme nous te l'avons indiqué ! »

Quels conseils plus clairs pourrait-on donner à une jeune fille inhibée qui, jusqu'au moment de son Étude, ne disposait d'aucun moyen pratique de surmonter sa confusion ?

De toute évidence, personne, dans la situation de Jane, n'aurait pensé à associer ses craintes avec celles d'une épouse maltraitée, dont l'esprit aurait été brisé par le sadisme d'un rustre. Ainsi, quand elle connut les raisons de sa timidité sociale, elle put soulager les innocents qu'elle craignait à tort et qui ne comprenaient pas son comportement à leur égard; cela permit à Jane de les considérer d'un œil plus objectif et sympathique. Elle prit peu à peu confiance en elle, un peu comme un enfant apprend à marcher.

Cet exemple illustre très clairement la réponse de Cayce à la question : « Pourquoi ne nous souvenons-nous pas de nos vies antérieures ? »

« Nous n'avons aucune raison de nous en souvenir, dit-il en effet. Nous sommes la somme globale de nos souvenirs. Nous les laissons se manifester au travers de nos habitudes, de nos goûts et de nos dégoûts, de nos talents et de nos faiblesses, de notre force et de notre vulnérabilité, tant physique qu'émotionnelle. »

À cause de la vie qu'il avait passée sous les traits de Bainbridge, par exemple, Edgar Cayce n'a jamais eu la moindre envie de jouer ou de boire. Le souvenir de ce que cela lui avait coûté, du gaspillage de ses forces, était encore trop récent. Il insista d'ailleurs toujours sur le fait que ceux qui avaient suffisamment d'honnêteté pour examiner leur propre nature trouveraient en eux-mêmes leurs besoins et leurs possibilités... La petite voix de la conscience ne ment jamais. Parce que cela nous arrange, nous décidons simplement de ne pas l'entendre, parfois, et alors nous ne manquons pas de regretter cette erreur.

Il y a quelque chose de contagieux dans l'exubérance de Cayce lorsqu'il se trouve face à une âme qui a perdu toute confiance en elle.

« Tu t'es sous-estimée et tu as restreint tes propres capacités, dit-il à une femme de 46 ans. Réagis ! Tu peux aller où tu veux tant que tu gardes ta foi en Dieu, contente-toi d'être attentionnée et patiente, de faire preuve d'amour fraternel.

» Trop longtemps, tu es restée cachée, trop timide, ne laissant pas libre cours à ton imagination. Tu as grand besoin de sortir, de crier et d'entendre l'écho de ta voix.

» Ne te laisse pas subjuguer par ceux qui essaient, ou ont essayé, de t'impressionner par leur importance, car Dieu n'épargne personne ! Et n'importe qui peut influencer le simple d'esprit en prenant l'apparence du fort !

» Les plus grands sur la terre sont les plus humbles. Cela ne signifie pas qu'il faille rester si tranquille et inactif.

» Il y a un manque d'éclat et d'apparat. Si tu veux te vêtir d'une superbe robe rouge, fais-le ! De telles envies ont été trop refrénées, l'amour et les sentiments profonds ont trop longtemps été dissimulés, de sorte qu'une petite partie seulement de ta beauté s'est fait jour.

» Tu as besoin de changer d'environnement, de rencontrer d'autres personnes, avec lesquelles tu pourras parler, auxquelles tu pourras expliquer qu'elles sont loin de savoir ce que tu sais.

» Donne à ceux qui pensent en savoir beaucoup ! Si tu prends conscience de cela, tu en sais déjà bien plus qu'eux, dans n'importe quel domaine. Ces circonstances, une fois changées, transformeront ta vie... N'aie pas peur de rencontrer des difficultés; sache que, quoi que tu veuilles, tu pourras l'obtenir. Car le Seigneur aime ceux qui L'aiment et à ceux-là, Il ne retirera aucun bien ! »

De la même manière, il aida un jeune homme de 20 ans, particulièrement nerveux : « Surmonte ta timidité en ayant quelque chose de particulier à dire ! Nombreux sont ceux qui parlent sans rien dire – c'est-à-dire rien de constructif ou rien qui n'ait de sens – et ne les considère que pour ce qu'ils sont !

» La nature ne nous a donné que deux yeux et deux oreilles, mais nous devrions voir et entendre deux fois – même quatre fois – plus que nous ne parlons ! Ne sois jamais orgueilleux, ne cherche jamais à être "comme les autres garçons", à faire ce que les gens disent, par peur d'être considéré comme différent.

» Ose être différent ! Et si tu lis le Deutéronome, chapitre 30, et l'Exode 19,5, tu connaîtras les raisons profondes qui doivent te motiver ! »

6

Le karma de la vocation

Les fresques du Panthéon

L'exemple suivant est significatif de l'amitié indéfectible née entre Cayce et les jeunes gens qu'il a aidés et encouragés tout au long de sa vie.

John Schofield, âgé de 23 ans, était extrêmement frustré par le travail mécanique et répétitif qu'il faisait dans une entreprise de gravure. Ce sentiment était encore aggravé par le fait qu'il vivait au sein d'une famille possessive, qui l'empêchait de penser et d'agir librement. C'était un peintre amateur d'assez bon niveau, autodidacte, mais qui manquait totalement de confiance en sa créativité.

Comme beaucoup d'autres, Schofield en appela finalement à Edgar Cayce. Celui-ci lui conseilla vivement de s'éloigner de sa famille autoritaire. Lors de ses vies antérieures en Égypte, en Grèce et à Rome, il avait souvent pris une part active à la réalisation de fresques pour les temples, les tribunaux et les palais du gouvernement. Il possédait un véritable talent artistique et son travail ne se limitait pas à la pure habileté architecturale. Cayce lui conseilla de se rendre à New York pour chercher une place dans un grand bureau d'architectes, une fois sa formation professionnelle dans une école de beaux-arts achevée.

Il lui expliqua que les styles architecturaux représentaient la somme globale, dans les différents pays de la planète, de l'inspiration des hommes qui avaient œuvré pour exprimer leurs idéaux artistiques. Il fit référence à Léonard de Vinci, selon lui l'exemple type d'un génie dont l'âme s'exprimait encore maintenant, et plus que jamais, grâce à ses œuvres. Le génie de Vinci ne fut découvert que lorsque le monde eut suffisamment progressé pour pouvoir le reconnaître et mettre en valeur ses créations. Ainsi, son immortalité transparaissait au niveau de son influence universelle, et non au niveau de sa destinée personnelle.

La même argumentation pouvait parfaitement s'appliquer aux talents innés de John Schofield.

« Pourquoi en serait-il ainsi ? »

« Parce que cette âme, qui a tant appris dans la décoration des temples, des tombes, ou encore des bâtiments publics, commence maintenant seulement sa vraie carrière en Amérique. Et l'on trouve dans son style, notamment dans ses fresques du Panthéon, les influences de l'école où l'entité avait autrefois étudié. »

« Mais alors, comment devrais-je me préparer pour contribuer à cette œuvre ? » demanda Schofield.

« En apprenant à combiner les tendances de l'architecture moderne avec les styles phénicien et égyptien, car ils s'associent à merveille, tant dans leur simplicité que dans leur esthétique. »

Schofield agit selon les conseils de Cayce et, cinq ans plus tard, il lui fit part de ses progrès.

« Un jour, je reçus une invitation à me présenter à la Fondation Barnes, où j'étais étudiant, pour être récompensé de mon travail par un voyage d'étude de quatre mois en Europe, avec un groupe d'étudiants... du 18 mai au 18 septembre. Nous devions voyager dans sept pays différents.

» Cette année, je termine ma cinquième et dernière année d'études à l'Académie des Beaux-Arts et ma deuxième à la Fondation Barnes. Je suis à la recherche de nouvelles valeurs et d'une nouvelle inspiration pour ce dernier cours que je m'apprête à suivre.

» Je suis conscient de la chance qui m'est offerte et très reconnaissant des occasions qui me sont fournies. Mon désir, humble et sincère, est de pouvoir prouver que je les méritais et de développer une forme d'expression qui me soit propre. »

« Mon voyage de cet été fut une série d'expériences fantastiques et j'ai l'impression d'avoir vécu une vie entière au cours de cette période, devait-il encore écrire à Hugh Lynn Cayce, après la mort d'Edgar. Depuis mon retour, j'ai été fidèle aux conseils de mon Étude et, avec beaucoup de patience, j'ai achevé ma première fresque; je suis en train de préparer la deuxième. La première fut un succès et je place beaucoup d'espoirs dans la deuxième. Je viens de vivre une excellente année, probablement la meilleure de mon existence. »

Neuf ans plus tard, Hugh Lynn Cayce fut en mesure de faire l'estimation suivante :

« Il est tout naturel pour nous d'avoir suivi avec intérêt les années d'études et de travail de ce jeune homme dans les écoles d'art, ainsi que son ascension à un niveau remarquable dans ce domaine. Quand on compare le jeune homme opprimé d'il y a quelques années et l'artiste dont les œuvres sont aujourd'hui reconnues, on ne peut que reconnaître la nécessité des Études de vie. »

L'officier de renseignements

Un grand fossé sépare le cas de Schofield de celui de cette âme complexe impliquée dans cette nouvelle Étude – une âme trop complexe pour que l'on puisse utiliser ici l'intégralité de son Étude de vie.

Calvin Mortimer, un psychologue, était défini dans son Étude comme « un extrémiste dans certaines de ses idées », une âme qui était revenue pour un but bien défini, qui possédait un talent développé pour « diriger de larges groupes d'individus dans des sphères d'activités très variées ».

« Avant cela, l'entité se trouvait déjà dans le pays où elle vit actuellement, durant la période qui suivit immédiatement la Révolution américaine... au service de l'armée britannique, elle œuvrait sur le continent américain dans un service de renseignements. Elle ne travaillait pas en tant qu'espion, mais dressait les plans des campagnes de Howe et de Clinton.

» L'entité resta sur le sol américain après la fin des hostilités. Elle s'occupa alors de la coopération entre sa patrie et son nouveau pays d'adoption.

» Et sous le nom de Warren, l'entité se couvrit de gloire !

» C'est ainsi que, dans le présent, les relations diplomatiques, les échanges d'idées et de projets entre les nations constituent le centre d'intérêt des activités de l'entité. »

Avant cela, l'entité fut un croisé anglais fait prisonnier par les Sarrasins en Terre sainte, et profondément impressionné par la civilisation de ces « païens infidèles ».

Il enregistra des pertes au cours de cette vie, en défendant aveuglément une cause erronée au lieu de se mettre au service d'un idéal auquel il aurait cru. Cela se traduit dans le présent par un scepticisme vis-à-vis de la religion ou de la philosophie, malgré une véritable fascination pour les doctrines permettant d'influencer une grande masse de gens.

Dans une incarnation persane encore antérieure, il succomba aux excès de la chair, bien qu'il fût sous l'influence d'Esdras, à propos duquel on avait coutume de dire : « Tous les écrits de la Bible ont été détruits, mais ils ont été récupérés par Esdras, qui "s'en souvenait par cœur" et les a réécrits. »

Il maîtrisait également la science de l'astronomie, « d'où une connaissance des mouvements de la terre, qui fait également partie de la mémoire de l'entité ».

Dans l'Égypte préhistorique, « l'entité œuvra pour le plus grand développement de ses capacités mentales et pour l'élévation de son âme. Étudiant diverses ethnies et croyances, l'entité entreprit de les classifier, non seulement en Égypte, mais aussi aux Indes, en Mongolie, à Gobi et dans les Carpates ».

Il est maintenant possible de suivre sa destinée grâce aux informations de sa troisième ex-femme. Au moment du bombardement de Pearl Harbor, « il était trop âgé pour le service actif; en tant que spécialiste de l'opinion publique, il fut dépêché à Washington, où l'on verrait s'il pouvait être d'une aide quelconque dans ce domaine.

» Après une série d'interrogatoires stériles, il rentra chez lui découragé; mais il ne lui fallut pas longtemps pour trouver une autre idée. Ayant vécu longtemps sur un bateau, il en avait une grande connaissance et il postula chez les gardes-côtes.

» Il passa l'examen de la Marine avec le score de 175, fut nommé lieutenant-commandant et revint chez lui pour peaufiner ses connaissances de la navigation.

» En quelques mois, il fut aiguillé dans le Service de renseignements internes DWI en tant qu'expert en opinion, où il travailla en étroite collaboration avec l'OSS, puis avec l'OWI Outre-Mer. À la fin de la guerre, il était responsable d'une école technique, entraînant des hommes à pénétrer au-delà des lignes ennemies. Il travaillait alors à Long Island, à l'endroit même où il avait autrefois fait les plans des campagnes de Howe et de Clinton, au moment de la guerre d'Indépendance. »

En 1957, le Dr Mortimer se maria pour la quatrième fois. Sa troisième femme raconta que leur mariage avait duré dix ans, davantage que tous les autres; cela était probablement dû au fait qu'ils avaient déjà été réunis auparavant, dans une vie harmonieuse en Perse, alors qu'ils n'avaient pas pu s'entendre au moment de la guerre d'Indépendance.

Dans les dernières années de leur mariage, il avait commencé à boire plus que de raison et son épouse également, « de sorte que même maintenant c'est un problème pour moi ». Elle mentionna encore les activités sexuelles passionnées qui avaient jalonné toute la période de leur union.

Elle écrivit à nouveau en 1963 pour annoncer sa mort, durant son sommeil, après avoir été victime de deux attaques et avoir perdu la vue. Elle-même devait décéder subitement l'année suivante, après avoir parlé d'une « attirance terrible » qu'elle sentait émaner de lui, « comme s'il était en train de m'hypnotiser pour me convaincre de le rejoindre ».

Il est possible que si Mortimer avait pris garde aux avertissements de Cayce contre les excès et l'indulgence vis-à-vis de soi-même, il aurait accompli la mission qui lui était destinée. Cela aurait été la continuation de la progression qu'il avait entamée en Égypte, alors qu'il occupait un poste à responsabilités dans la diplomatie. Mais les envies nostalgiques de Mortimer pour les délices érotiques de la Perse furent pour lui un obstacle insurmontable.

Il n'est pas hors de propos ici de considérer la croyance orientale selon laquelle l'âme se voit gratifiée d'une réincarnation « confortable » pour six vies de développement ardu. Cette théorie stipule que les vies deviennent toujours plus difficiles au fur et à mesure que l'âme étend les liens qui la relient à la terre. Sans ce « sabbat », l'âme pourrait bien se lasser de cette constante lutte vers l'amélioration et finalement se décourager.

Il est donc possible que les Mortimer aient atteint la sixième vie du cycle. Ainsi retourneront-ils prochainement à une vie plus calme, au cours de laquelle ils pourront « mettre de l'ordre dans leur demeure » et fixer de manière plus précise leur progression spirituelle ultérieure.

7

Études de vie
pour les enfants

Lorsqu'Edgar Cayce s'occupait d'enfants, on se rendait compte de l'amour et de l'affection qu'il leur témoignait rien qu'en lisant les pages de ses transcriptions.

Les enfants se sentaient attirés par lui instinctivement. À une certaine époque, il rencontra un franc succès en tant que photographe d'enfants; cela était dû aux rapports presque magiques qu'il parvenait à établir avec ses jeunes modèles. Au tout début du siècle, il avait commencé à enseigner à l'école du dimanche et, bien souvent, ses élèves restèrent en contact avec lui longtemps après s'être lancés dans la vie active.

Le médecin malgré lui

Roddy était né le 9 janvier 1943, à 4 h 43 du matin, et ses parents demandèrent une Étude pour lui, au mois de juin de la même année.

« Comme l'on s'en apercevra, dans un avenir trop éloigné, commença Cayce, toutes les âmes qui arriveront sur la terre dans les années 43, 44 et 45 seront vraisemblablement amenées à remplir des rôles intéressants au service de leurs semblables et aborderont ces tâches sous un angle peu conventionnel.

» Cette entité, si l'occasion lui en est fournie assez rapidement, est destinée à se consacrer à la médecine, la médecine dentaire ou la pharmacie. Chacune de ces professions représente une possibilité pour l'entité d'accomplir sa mission.

» L'entité bénéficiera également d'une imagination fertile. Aussi, ne l'empêchez jamais de raconter toutes sortes "d'histoires" qui, pour elle, paraîtront vraies. Laissez-lui simplement entrevoir de quelle manière plus constructive elle peut les utiliser, dans le sens d'une amélioration de ses capacités spirituelles, mentales et physiques.

» Elle sera également encline à une certaine extravagance dans ses paroles et ses attitudes. Cela non plus, il ne faudra pas le réprimer – ne pas lui répéter sans cesse "ne fais pas ceci" ou "ne fais pas cela", mais plutôt l'encourager dans d'autres voies, qui imprégneront une certaine constance dans ses actes et lui prouveront "qu'elle est capable de faire tout ce qu'elle dit".

» Au niveau astrologique, elle se trouve sous l'influence de Vénus, de Mercure, de Mars et de Jupiter. Avec Vénus, c'est l'amour de la beauté.

» Par conséquent, l'entité sera capable de bien faire ce qu'elle entreprendra, pour autant qu'elle soit habilement guidée. Et cela requerra beaucoup de patience de la part de ceux qui seront responsables d'elle !

» Mercure est le signe de grandes possibilités mentales. Sous celui de Mars en conjonction avec Mercure, nous trouvons un perfectionniste, désireux d'avancer seul et de faire mieux que n'importe qui d'autre !

» Sous le signe de Jupiter, et avec l'amélioration de ses connnaissances, nous trouvons la conscience universelle, qui lui procurera les mêmes possibilités attribuées à l'une de ses incarnations antérieures – celle du Dr Harvey, qui fit des découvertes intéressantes au niveau de la circulation du sang.

» Malgré la preuve évidente de ses erreurs à plusieurs reprises, il était toujours persuadé qu'il savait mieux que les autres ! Ses activités sont bien connues et, en les étudiant quelque peu, elles donneront à ceux qui sont responsables de l'éducation de l'entité une idée des problèmes qu'ils auront à résoudre.

» Mais ne manquez en aucun cas de donner à l'entité la chance d'étudier la pharmacologie ou l'odontostomatologie; quant au reste, elle s'en chargera elle-même par la suite.

En France, à l'époque où vivait le cardinal de Richelieu, l'entité vivait sous les traits du "comte Dubourse", qui contribua grandement à l'amélioration des conditions d'hygiène. Bien que l'entité ne fût pas particulièrement prétentieuse, elle ne se gênait pas pour dire à qui voulait l'entendre qu'elle savait mieux que les autres. (C'était effectivement exact !) Le comte attira surtout l'attention sur les maladies contagieuses, car il savait qu'elles ne venaient pas que des microbes, mais que les individus pouvaient les transmettre.

» Pour cette raison, dans sa vie actuelle, l'entité sera particulièrement propre de sa personne, bien que moins "difficile" en ce qui concerne une maison.

» L'entité gardera toujours ses amis à distance respectable !

» Quant à l'éducation que vous lui donnerez,

prenez garde de toujours équilibrer sa vie spirituelle et sa vie quotidienne. Si cet équilibre est maintenu, ses capacités se manifesteront d'elles-mêmes pour le plus grand bien de nombreuses personnes. »

Au moment où Edgar se déclara prêt à répondre aux questions, la mère de l'enfant lui demanda quand et où elle avait déjà été associée avec lui dans le passé. La réponse fut la suivante :

« À de nombreuses reprises – spécialement en Égypte, où le contact fut très proche. Évitez la mésentente entre vous ! »

Quant au père, il s'était retrouvé avec l'enfant lors de son expérience française, « aussi bien qu'en Égypte – où ils furent en opposition. Attendez-vous donc à des "accrochages" entre eux deux ! »

Bien que cela fût la seule Étude que l'enfant pût jamais obtenir, en raison de la disparition d'Edgar Cayce deux ans plus tard, sa mère donna de ses nouvelles à l'ARE dix ans plus tard.

« Dès sa plus tendre enfance, Roddy a montré un intérêt particulier pour le corps humain, spécialement pour tout ce qui a trait au cœur et à la circulation du sang. Et il insiste effectivement toujours pour dire qu'il a raison ! Jamais il n'admet que l'explication de quelqu'un d'autre puisse être meilleure que la sienne. À l'école, il a été dans la catégorie A-1 et il se vante d'avoir les meilleures notes de la classe; il cherche à en savoir toujours davantage. D'autre part, il a la phobie des microbes – il se lave les mains à longueur de journée ! – et il est vraiment obsédé par ce sujet. De toute manière, il ne veut pas vivre dans une grande ville à cause de "tous ces gens qui vous soufflent des microbes à la figure" !

» Bien que nous n'ayons jamais parlé avec lui de cette Étude, il répète sans cesse qu'il veut devenir médecin. À dix ans, sa voie semble tracée et déjà il met de l'argent de côté pour ses études de médecine.

» Nous avons quatre autres enfants, tous très différents. Ces caractéristiques sont propres à Roddy, exactement comme nous l'avait dit Edgar Cayce alors qu'il n'avait que cinq mois... »

Toutes les excentricités qu'Edgar avait décelées chez l'enfant s'étaient complètement développées en moins de dix ans.

Edgar ne faisait qu'indiquer la voie que devait suivre un enfant; jamais il n'insistait. La responsabilité incombait directement aux parents de savoir s'ils désiraient encourager les potentialités de leur enfant ou, au contraire, le diriger dans d'autres directions. Mais au moins, ils savaient où son instinct le menait, et pourquoi.

La pureté d'une âme enfantine

Les dossiers d'Edgar Cayce consacrés aux enfants sont souvent très peu fournis. Les enfants sont confrontés à des destinées sans accrocs, leurs problèmes ne sont que rarement graves. Mais l'exception existe, comme le cas de cet enfant dont l'Étude de vie fut faite en 1936 :

« Beaucoup de choses à dire à son sujet ! commença Edgar, car l'entité est particulièrement sensible et a de nombreuses cordes à son arc; elle est obstinée et exprime ouvertement ses sentiments... En effet, l'entité est une vieille âme, un habitant de l'Atlantide qui, convenablement guidée, n'œuvrera pas que pour son propre développement, mais améliorera le sort de son prochain.

» Peu nombreux seront ceux qui resteront étrangers à l'entité, même si certains le resteront à jamais; peu importe la fréquence et la manière dont ils seront liés les uns aux autres! L'entité tendra toujours vers une nature idéale. Cependant, à moins que l'entité ne comprenne clairement pourquoi certains individus ont manqué à leurs promesses, elle aura tendance à perdre confiance non seulement en autrui, mais également en elle-même.

» Et la personne la plus solitaire est celle qui a perdu sa confiance en elle-même ! »

Dans sa vie précédente, l'entité était un chercheur d'or en Californie, qui avait été dégoûté par l'absence totale de lois et la violence qui régnaient alors; cela lui avait valu de se faire dépouiller de la récompense de ses efforts et avait provoqué sa mort violente. L'enfant avait ainsi hérité d'une peur innée des armes à feu, dont il ne supportait pas même la vue. « La violence fut une expérience terrifiante pour l'entité.

» Mais l'entité ne perdit jamais confiance en elle... et si vous lui demandez maintenant : "Peux-tu faire ceci ou cela ?" elle répondra toujours qu'elle en est capable "si on lui montre comment".

» Elle recherchera sans cesse de nouveaux domaines d'activité, car tout autour d'elle doit être nouveauté. D'où un conseil pour ceux qui s'occuperont de l'entité durant les années de sa formation : ne soyez pas intimidés ou surpris lorsqu'elle dira à ceux qui l'entourent qu'ils ne sont "plus dans le coup" ! »

L'entité fut auparavant un personnage influent de l'Empire romain, un contrôleur de la taxe et de la dîme, et, au moment des inondations fatales de l'Atlantide, un fonctionnaire important chargé de diriger les réfugiés vers des camps en Égypte, dans les Pyrénées et en Amérique latine. Actuellement, sa vocation « c'est le droit », avec une préférence pour le droit international.

Son père était un vieil ami qui avait vécu avec lui la grande désillusion des chercheurs d'or, ainsi que l'Exode en Égypte. Lors de cette incarnation, sa mère était sa fille... et « c'est pour cette raison que, dans leur vie présente, le fils remettra parfois en cause l'autorité de ses parents ».

Il y avait de toute évidence des jours orageux à venir, mais Cayce restait confiant : aussi longtemps que les parents expliqueraient pourquoi ils attendaient de leur fils une conduite exemplaire, il serait en mesure de comprendre et obéirait.

Cette Étude est absolument unique pour la raison suivante : Cayce, qui avait consulté le livre des mémoires akashiques de l'enfant, fit cette remarque lors d'une séance : « Le livre le plus pur qu'il m'ait jamais été donné de consulter. Et pourtant j'avais toujours pensé qu'il n'y avait pas de hiérarchie dans la pureté. »

Les séquelles d'un accident

Frederick Leighton n'avait que cinq mois lorsqu'Edgar Cayce fit pour lui une Étude de vie, en 1931. Il dit que son caractère n'était pas encore formé (ce qui était assez rare) et que toute la responsabilité du développement de l'enfant incombait à ses parents. Ce n'est que dans la seconde partie de sa vie que les caractéristiques héritées de ses vies antérieures se manifesteraient. Il aurait alors des affinités particulières pour la musique, ayant été musicien ambulant dans le sud et le sud-ouest du pays, juste après la fin de la guerre de Sécession; il avait gardé de cette expérience une prédilection pour la musique folklorique.

Il aurait également des prédispositions pour les affaires et le droit, « pour autant qu'il ne se confine pas dans l'espace restreint d'un magasin ou d'un bureau. Il aurait davantage tendance à s'exprimer au grand jour, dans la foule, sur une scène ou en tant que leader politique ». Il avait hérité d'une forte influence religieuse d'une vie antérieure à Jérusalem, où il était harpiste dans un temple. Dans l'ancienne Égypte, il avait encore consacré sa vie à la musique et s'était aussi enrichi « en se mettant au service de la communauté pour distribuer la nourriture des greniers royaux. Ainsi, dans la dernière partie de sa vie actuelle, l'entité accumulera beaucoup des biens de ce monde ».

Puis Edgar Cayce adressa un avertissement aux parents : « Pour ne pas briser la volonté de l'entité, pour ne pas anéantir sa capacité de penser, pour qu'elle se souvienne de l'aspect spirituel de sa vie, il importe que ceux qui sont responsables de sa formation lui assurent une bonne éducation. » L'enfant serait alors assuré de mener une vie couronnée de succès, que ce soit dans la politique ou la musique.

Cet avertissement n'était pas sans fondement. À l'âge de quatre ans, Frederick fut victime d'un grave accident. Comme on l'avait autorisé à jouer avec une paire de ciseaux, il se blessa à l'œil droit, évitant de justesse des dommages irréversibles. Il subit immédiatement une opération, qui ne permit toutefois pas de lui éviter de souffrir d'une cataracte; sa vue était en danger.

Grâce à sept Études physiques auxquelles il fut soumis au cours des deux années qui suivirent l'accident, l'enfant guérit et sa vue se rétablit. Ses parents firent part de leur gratitude à Edgar Cayce dans une lettre qu'ils lui adressèrent et dans laquelle ils écrivaient notamment : « Et en marchant le long de la rue avec notre petit Frederick, nous nous sommes aperçus qu'il vous aimait autant que les étoiles... »

Une triple dette

Sarah Crothers avait treize ans lorsque ses parents se décidèrent finalement à demander son Étude de vie. Cela faisait quelque temps déjà qu'Edgar Cayce faisait pour elle des Études physiques, tentant de la guérir des crises d'épilepsie violentes dont elle souffrait depuis sa naissance. Après chaque Étude physique, elle faisait quelques progrès, puis régressait à nouveau. Peut-être les parents ne suivaient-ils pas scrupuleusement les conseils de Cayce, certainement encouragés en cela par le médecin de la fillette. Toujours est-il qu'Edgar ne trouva pas d'explication à la persistance de cette maladie, jusqu'au jour où il commença son Étude de vie. Il affirma que, si les souvenirs karmiques étaient en cause, les parents auraient à supporter une part des responsabilités.

« Ceux qui sont responsables de l'entité, souvent enclins à attribuer ces crises d'épilepsie au hasard ou à des circonstances inéluctables, feraient bien de considérer leurs obligations vis-à-vis d'elle. De cette façon (et grâce à leur propre Étude de vie), ils comprendraient bien mieux ce qui s'exprime au travers de la maladie de l'entité. »

Lorsqu'elle était encore une toute jeune fille, durant la Révolution américaine, ses parents l'avaient utilisée pour aller espionner leurs concitoyens; ils craignaient que la défaite de l'Angleterre n'entraîne leur ruine. Elle s'appelait alors Marjorie Desmond et possédait des dons parapsychologiques échappant à son propre entendement et à celui de ses parents. Son père l'encourageait à user de ses dons pour séduire de jeunes officiers et les amener à commettre des actes sexuels répréhensibles; plusieurs succombèrent à ses charmes. Le crime karmique n'était pas tant la trahison que l'utilisation des dons parapsychologiques à des fins perverses et pour une cause sordide.

Edgar n'hésita pas à mettre une part des responsabilités sur le compte des parents. Quant à l'enfant, elle avait fait preuve de rébellion à deux occasions – par deux fois, elle avait été une lévite – et cela se ressentait encore au niveau de son caractère.

« Avant cela, l'entité se trouvait en Égypte, parmi les rescapés de l'Atlantide. Mais elle était née et avait été élevée en Égypte pour servir dans les hôpitaux et soigner les malades. »

On peut supposer que soit sa négligence, soit son indifférence furent la cause des premières lésions de son âme. Edgar Cayce, cependant, avec sa discrétion habituelle, ne fit aucune allusion allant directement dans ce sens.

Au moment de répondre aux questions des parents, à la fin de la séance, il n'avait pas abouti à une véritable solution :

Q. : « L'état de son corps au cours des dix années écoulées a-t-il eu des répercussions sur l'entité, tant physiquement que mentalement ? »

E.C. : « Forcément; son physique et son mental ne sont pas encore coordonnés. »

Q. : « Quel genre d'éducation devrait-elle recevoir pour être bien préparée pour sa vie ? »

E.C. : « Une formation musicale ou médicale. »

Q. : « Quelles sont les conséquences de son destin sur sa vie actuelle ? »

E.C. : « Cela dépend, comme je vous l'ai dit, des intentions de ceux qui ont placé l'entité dans son environnement actuel; le gain dépendra de la façon dont les obligations envers elle seront remplies. »

Q. : « Que faut-il faire pour surmonter ses déficiences physiques et mentales ? »

E.C. : « Des exercices physiques. »

Il est difficile d'ignorer la répugnance inconsciente du père, qui transparaît dans toute la correspondance qu'il a envoyée par la suite à Edgar Cayce. Et, à la fin de ce dossier volumineux, on reste avec la regrettable impression que les progrès de l'enfant furent minimes. Pire : que la dette karmique n'avait nullement été acquittée.

Une réputation chimérique

Il nous faut noter que les « célébrités » de l'histoire ne furent qu'une minorité parmi les patients de Cayce. Cayce expliquait que la plupart des âmes accomplissaient leurs plus grands progrès spirituels au cours de vies obscures et ternes, généralement dans des circonstances assez éprouvantes. Néanmoins, la moyenne des gens initiés à la réincarnation éprouvent beaucoup de plaisir à se voir, dans leurs vies antérieures, en position de pouvoir.

Malheureusement, la puissance que vous possédiez autrefois ne joue qu'un rôle minime sur votre vie actuelle.

Alexandre Hamilton (1757-1804), soldat, héros et l'un des pères fondateurs de la Constitution américaine, dont la vie fut abrégée par un tragique duel, aurait pu bénéficier d'une âme particulièrement élevée. Ceci ne l'empêcha toutefois pas de se réincarner en un jeune homme d'origine juive, plutôt tourmenté, et pour qui les parents demandèrent une Étude à Cayce, alors qu'il n'avait que cinq semaines.

D'emblée, Edgar Cayce mit les parents en garde contre le caractère original de l'enfant, qui pourrait lui causer des ennuis par la suite, et insista sur le fait qu'il fallait à tout prix empêcher le jeune garçon de jouer avec des armes à feu. L'entité ne portait pas en elle le modèle préconçu de développement de son âme; elle devrait s'en créer un au cours de sa croissance. On lui conseilla de faire des études « dans le domaine du droit, de la finance ou de la politique ».

Peu avant le cinquième anniversaire de l'enfant, son père tomba amoureux d'une autre femme; les parents divorcèrent et la garde de l'enfant fut confiée à sa mère. (Les ménages brisés représentaient toujours de noires perspectives pour Edgar Cayce. Il insistait beaucoup sur le besoin qu'avait chaque âme de disposer d'un environnement sécurisant au cours de ses jeunes années; il était persuadé que la préservation d'un foyer harmonieux était l'idéal pour la progression d'une âme.)

À l'âge de 25 ans, le jeune homme manifestait « une attitude très dogmatique vis-à-vis de la vie en général », qu'une année et demie dans la Marine n'avait pas suffi à modifier.

L'année suivante, il fut placé sous contrôle psychiatrique et dut se rendre à l'hôpital pour des traitements de choc. Ses tendances pour la violence avaient repris le dessus. Fonçant tête baissée dans tout ce qu'il entreprenait, il aggrava encore ses problèmes en épousant sans hésitation une femme divorcée avec un enfant à charge. La femme qui avait ruiné le mariage de ses parents et celle qu'il épousa étaient de la même origine ethnique, toutes deux étaient rousses et avaient épousé, en premières noces, des hommes travaillant dans le même secteur d'activité : la mécanique.

Lorsque son mariage ne fut plus qu'une succession de déboires et de désillusions, il commença à éprouver des remords, notamment vis-à-vis de son père, avec qui il s'était fâché et qui, à présent, était mort. Vers la fin de l'année suivante, il lui sembla que son seul espoir de s'amender était de devenir rabbin. L'ARE tenta alors d'entrer à nouveau en contact avec lui, mais sans succès : une lettre revint avec la mention « Adresse inconnue ».

Sur la base de son Étude de vie, on aurait tendance à penser que les dettes accumulées au cours d'une vie antérieure en Grèce l'avaient emporté sur les bienfaits accomplis en tant qu'Alexandre Hamilton. Ailleurs dans son Étude, il est fait mention de la guerre de Troie : ce conflit avait été marqué par une violence inouïe, entravant sans aucun doute le bon développement d'une âme. Si l'on est par essence un guerrier, les passions engendrées par cet état laissent des marques suffisamment profondes pour qu'elles se transmettent au-delà des siècles.

Si l'on considère l'ensemble des Études d'Edgar Cayce, force est de constater que ce malheureux jeune homme devra vivre encore une autre vie pour payer ses dettes et libérer sa mémoire karmique des chaînes qu'elle traînait depuis la guerre de Troie.

Ce qui est notable dans l'étude de ce cas, c'est qu'Alexandre Hamilton ait été capable de s'élever suffisamment, au moment où une jeune nation en crise avait absolument besoin de son aide. Il se livra entièrement à cette tâche, dans un sens exclusivement positif. Les forces négatives s'étaient momentanément écartées, pour resurgir ensuite, dans une période plus calme de l'histoire de son pays.

Cela donne une idée des tendances qui s'affrontent pour s'exprimer au travers de l'âme.

Le souvenir de son maître

Les Études d'Edgar Cayce montrent qu'une bénédiction permanente peut accompagner une âme au cours de ses différentes vies sur terre. Mais cette bénédiction doit lui avoir été accordée par Jésus en personne.

Prenons l'exemple de cette petite fille de cinq ans qui refusait de dire sa prière tant que sa mère ne se trouvait pas à son côté pour poser sa main sur sa tête; c'était pour elle le symbole du contact rassurant de la main du Seigneur, lorsque celui-ci la bénit en Terre sainte.

Edgar fit une autre Étude pour un enfant, en 1935, et insista tout spécialement sur le fait que « à l'époque où Jésus se trouvait sur terre, l'entité reçut Sa bénédiction lorsqu'il se rendait à Béthanie.

» Puis l'entité le regarda et le reconnut comme Celui qui faisait venir à Lui les enfants, comme Celui qui avait dit : "À moins que tu ne deviennes comme les petits enfants, tu n'entreras en aucune manière dans mon Royaume."

» Car si l'on désire être pardonné comme l'est un enfant, il faut pardonner celui qui se trompe à notre égard.

» L'entité, alors sous le nom de Clémentine, vivait

118

dans la maison de Cleopas; ayant suivi, au cours de ses jeunes années, les enseignements des disciples pour suivre Ses traces, elle se mit au service de Marc et de Luc lors de leur voyage à travers le pays; elle se lia à Marc au point de l'aider à préserver "les enseignements que l'on trouve dans l'Évangile de Marc". »

On recommanda vivement aux parents de favoriser l'éclosion des souvenirs de l'enfant relatifs à cette vie antérieure; sa vie actuelle n'en serait que plus orientée dans le sens du dévouement à autrui.

Les soins aux enfants

Les dossiers de l'ARE contiennent un volumineux courrier de remerciements. Mais il n'est pas de lettres plus touchantes que celles provenant de parents.

Cayce, au sujet de l'éducation d'un enfant, mettait constamment l'accent sur la nécessité d'une honnêteté absolue vis-à-vis de celui-ci. Il condamnait l'excès de soins comme le manque de sécurité. Si celle-ci venait à faire défaut, l'enfant pouvait perdre confiance en lui et laisser alors resurgir les habitudes négatives héritées des fautes commises lors de ses vies antérieures. Cayce pressait les parents de toujours expliquer les raisons de la discipline qu'ils imposaient à leur enfant, de ne jamais dire de façon évasive « parce que c'est comme ça ». En faisant appel régulièrement à la capacité de raisonnement de l'enfant, on fournissait ainsi une base de stabilité à son caractère. Et lorsque Cayce décelait des traces d'indifférence ou de manque d'affection chez certains parents, il n'hésitait pas à le leur dire. Rien ne le révoltait plus que l'intolérance de certains adultes. Pourquoi ne laissaient-ils pas l'enfant exprimer ses craintes et ses désirs ? Pour lui, la cause de la plupart des névroses résidait dans ces illogiques obligations et interdictions que l'on imposait aux enfants, comme s'ils servaient seulement d'exutoire aux frustrations des parents.

Cayce répétait qu'il fallait encourager sans cesse les enfants, et considérer cela comme un plaisir, non comme une corvée. L'enfant doit comprendre pourquoi il lui faut maîtriser et écarter ses faiblesses. La religion doit lui être présentée sous ses aspects les plus simples et sous ceux qui correspondent le mieux à son caractère. Le développement d'un bon sens de l'humour est essentiel pour son équilibre, surtout lorsqu'il parvient à l'âge adulte. Toute inclination pour la musique doit être vivement encouragée, car elle permet à l'enfant de se développer harmonieusement. « Au même titre que les exercices physiques, la musique utilisée à des fins créatrices est très utile. C'est au travers de la musique que l'on peut s'exprimer le plus intensément. »

Une mère posa à Edgar Cayce la question suivante : « Comment doit réagir la mère face au tempérament de son enfant pour qu'il en tire le meilleur parti ? » Voici ce que Cayce répondit : « Il ne s'agit pas tant de "réagir" que d'aller à sa rencontre ! Sois aussi patiente que tu voudrais que le soit ton enfant; il sera alors plus patient avec toi. »

« Quel genre de formation devrai-je lui faire poursuivre par la suite ? »

« La musique, sous toutes ses formes ! Si l'enfant étudie la musique, il connaîtra l'histoire, les mathématiques ! Avec la musique, il apprendra tout ce qu'il doit savoir – du moins tout ce qui est bon à savoir ! »

Les enfants de la guerre

Vers la fin de sa vie, alors que la Deuxième Guerre mondiale faisait rage, le souci d'Edgar Cayce pour les enfants qui en étaient victimes se fit de plus en plus évident. Il craignait de voir les âmes des enfants, effarées par tant de morts violentes, errer, tout aussi effarées, dans d'autres sphères astrales, incapables de voir la Lumière. Il redoutait que, dans leur confusion, elles ne retournent sur terre trop rapidement, dans l'unique but de trouver refuge dans le sanctuaire provisoire d'une matrice maternelle.

Joan Grant, une parapsychologue anglaise, partageait les mêmes craintes qu'Edgar Cayce, et son mari, le psychiatre Denys Kelsey, en faisant appel à la technique hypnotique de la régression, fit la rencontre de plusieurs de ces «enfants de la guerre» réincarnés trop hâtivement dans des familles désunies; ils étaient en quête d'un abri, si dérisoire fût-il, qui les protégerait de l'horreur des bombardements et des camps d'extermination, qui les avaient marqués comme autant d'obsessions, au-delà même de leur mort.

Fletcher, le guide spirituel du parapsychologue Arthur Ford, avait pris soin de ne jamais se réincarner après sa mort dans les Flandres, sur un champ de bataille de la Première Guerre mondiale. C'était alors un jeune soldat canadien français de 17 ans. Il est parfaitement heureux, maintenant, dans le plan astral qu'il habite, beaucoup plus heureux que bien des gens ayant consulté Arthur Ford.

Dans ce même ordre d'idées, le premier cas intéressant à figurer dans les dossiers des Études remonte au mois d'août 1943. La mère d'une petite fille de quatre ans, en proie à des cauchemars et à une peur irraisonnée de la vie dans les villes, demanda de l'aide à Edgar Cayce.

Edgar s'abstint de trop mettre l'accent sur les vies antérieures de l'âme; il conseilla à la mère d'attendre que sa fille ait atteint l'âge de 11 ans pour faire une seconde Étude de vie. (Un délai permettait parfois de prévenir une éventuelle tragédie ou même une mort prématurée.) « Nous nous trouvons en présence d'un retour précipité sur terre », remarqua-t-il. Il conseilla de mettre l'enfant à l'abri « des bruits violents et de la pénombre ».

« Car, dans sa vie antérieure, l'entité venait de prendre conscience de la beauté des relations humaines, de l'amitié, des paysages, des fleurs, des oiseaux, ainsi que des manifestations divines, lorsque soudain le martèlement des bottes, les cris et les rafales des armes à feu vinrent avec leurs forces maléfiques. »

Edgar explique que l'enfant n'était alors pas beaucoup plus âgée que maintenant, et qu'en conséquence le passé et le présent se trouvaient inextricablement mêlés dans son esprit. Elle ne faisait donc pas de distinction entre le tumulte de la vie new-yorkaise et les horreurs du nazisme qui avaient fait voler en éclats son monde et avaient finalement causé sa mort.

« À cette époque, l'entité s'appelait Thérèse Schwalendal; elle vivait à la frontière de la Lorraine et de l'Allemagne. L'entité regagna le monde matériel, moins de neuf mois après sa mort.

» Fais preuve de patience. Ne gronde pas, ne parle pas brusquement. N'écorche ni ne condamne son corps ou son esprit. Mais parle-lui plutôt chaque jour de l'amour que Jésus porte à tous les enfants, parle-lui de paix et d'harmonie. Ne lui raconte jamais d'histoires regorgeant de peur et de châtiments, mais seulement celles qui parlent d'amour et de patience.

» Fais cela et nous aurons alors une âme grande et généreuse, qui fera le bonheur autour d'elle.

» C'est terminé pour l'instant. »

Le fou du roi

Les hésitations d'Edgar à donner en détail les perspectives d'avenir d'un jeune garçon sont à nouveau évidentes dans cette Étude qu'il fit en 1944, pour un garçon de 7 ans qui habitait à Londres.

« Nous nous contenterons de donner des conseils, d'indiquer une direction générale. Plus tard, lorsque l'entité aura atteint l'âge de faire son choix, vers 13 ans, elle pourra venir me consulter à nouveau, si elle-même le désire.

» Avec la guerre et toutes les épreuves que doivent affronter les hommes dans cette période que l'entité subit également, garde vivants en lui la capacité de voir non seulement les choses sublimes de la vie, mais aussi l'humour, la légèreté. Cela lui permettra d'être plus fort face à l'horreur. Il faut encourager les penchants d'écrivain de l'entité, lui apprendre à utiliser les faits historiques qui pourront servir de toile de fond à ses œuvres... car, au cours de son expérience précédente, l'entité était un fou à la cour d'Angleterre; elle s'appelait Hockersmith... et contribua, par la dérision, à rendre plus agréable une époque où l'égoïsme des hommes était la cause de graves tensions.

» L'entité se trouvait également parmi ces peuples d'Israël qui ont gagné la Terre sainte et qui étaient unis au peuple de Canaan. Cependant, l'entité ne fit pas partie de ceux qui égarèrent les enfants d'Israël. Car il délaissa Hatséroth pour servir le Dieu d'Abraham, d'Isaac et de Jacob, comme le fit Moïse.

» Nous donnerons d'autres indications lorsque l'entité aura atteint ses 13 ans.

» Favorisez surtout son apprentissage de l'anglais, à Eton.

« J'en ai terminé avec cette Étude. »

Cette lettre que la mère envoya à Hugh Lynn Cayce en février 1947 confirma ce à quoi Edgar Cayce s'était attendu.

« Mon fils est décédé accidentellement, le 6 février. Je me trouve maintenant à l'hôpital et j'attends mon troisième enfant. Timmy se réjouissait de son arrivée et il était impatient de savoir si ce serait un garçon. Il me dit également, quelques semaines avant de mourir : "J'aimerais que tu sois ma maman dans ma prochaine vie." Je lui répondis que ce ne serait probablement pas possible, mais il insista : "De toute façon, j'irai demander à Dieu." Je me souviens de lui avoir répondu que ce serait bien de le faire. J'ai l'impression qu'il était en mesure d'affronter ce qu'il convient d'appeler "la mort".

» Mon premier sentiment fut qu'il allait nous revenir sous les traits de ce bébé que j'attendais, surtout parce que je sentais – et je l'avais dit à mon mari – que notre futur enfant n'avait pas encore de personnalité bien à lui. Maintenant, cependant, je n'ai plus l'impression qu'il choisira de revenir si rapidement, même s'il a "envie que je sois sa maman dans sa prochaine vie".

» Peut-être est-il trop tôt; il a certainement beaucoup à apprendre dans son autre monde de conscience. Il se peut également que ce soit une situation par trop similaire, trop embarrassante pour lui. Il était (c'est difficile à expliquer en quelques mots !) sensible au chaos de ce monde, ainsi qu'à l'insécurité financière dans laquelle nous avons vécu ces deux dernières années. Mon mari s'est montré très généreux et attentionné envers sa mère invalide, qui est décédée le 23 janvier 1947. J'ai dû négliger mes enfants pour prendre soin d'elle, alors que j'étais enceinte. C'était une lourde charge et Timmy souffrait pour moi comme pour son père, qu'il voyait devenir impatient et nerveux, et perdre peu à peu son amabilité et sa gaieté. Le bonheur de notre foyer fut entièrement détruit à partir d'août 1946 jusqu'au mois de mars de l'année suivante, époque où Timmy commença à nous aider. Il essaya de nous faire comprendre que nous devions rester unis et nous aimer, comme autrefois... »

Elle avait ajouté à sa lettre une coupure de journal qui décrivait la façon dont Timmy et un de ses amis « s'étaient aventurés sur un étang gelé; la glace s'était rompue et les deux garçons avaient disparu, tués net par le choc »...

Dans la lettre de sympathie qu'il envoya en guise de réponse, Hugh Lynn Cayce fit le commentaire suivant : « Réalisez-vous à quel point son Étude de vie fut courte ? Mon père avait des réticences à donner des informations avant que Timmy les lui demande lui-même. Nous avons beaucoup à apprendre des relations existant entre notre monde de conscience et celui qui se trouve au-delà de la mort. Peut-être Timmy est-il maintenant en mesure de demander son Étude de vie. Peut-être se prépare-t-il à accomplir le travail qu'elle lui indiquera de faire... »

L'appel de la mer

À l'âge de 17 ans, Fred Coe, en pleine révolte, quitta le foyer familial. Deux mois plus tard, il n'avait toujours pas réapparu et Edgar Cayce fut chargé de le retrouver. L'Étude qu'il fit, quoique brève, fut très intéressante.

« Oui, nous sommes en présence de l'entité, commença par dire Cayce. En arrivant sur notre planète, elle était sous l'influence de Neptune et d'Uranus avec des conjonctions de Jupiter et de Mars. C'est pourquoi l'entité est attirée, dans sa vie présente, par l'amour de la mer.

» Grâce à l'influence de ces planètes, nous sommes en présence de possibilités exceptionnelles. L'entité est :

» Celui qui est considéré comme excentrique et particulier, qui change souvent son humeur.

» Celui qui aime les contes mystérieux et les secrets des profondeurs de la mer.

» Celui qui aurait dû être guidé avec assurance dans l'étude des mystères de ce monde.

» Celui pour qui l'étude des forces occultes sera bénéfique.

» Celui qui aime faire usage des armes à feu.

» Celui qui, cette année, verra le plus grand changement de sa vie, fera de nombreuses expériences dans des pays très divers, et ne reviendra sur les lieux de sa naissance qu'à un âge déjà avancé.

» Celui qui ne ressent que peu le besoin de vivre une vie religieuse.

» Celui qui apportera de nombreuses joies et de nombreuses peines à beaucoup de ses proches, surtout à ceux du sexe faible.

» Celui qui a la possibilité de donner de nombreux conseils.

126

» Au cours de ses apparitions antérieures, l'entité vécut des expériences dont on retrouve l'influence sur son existence actuelle. Dans sa vie précédant immédiatement celle-ci, on l'appelait Capitaine Kidd. L'entité reçut et donna beaucoup au cours de cette vie. Elle avait un amour immodéré de la mer et de tout ce qui confinait au mystère. Elle possédait aussi le don de savoir lire en son prochain comme dans un livre ouvert.

» Dans sa vie précédente, l'entité se nommait Hawk et travaillait dans la Marine anglaise. Elle accompagna le premier navigateur qui partit à la découverte de l'Orient (Jean Cabot, 1497); à la fin de ses jours, elle aborda d'ailleurs sur la côte nord de ce continent.

» Une fois encore, la passion pour l'aventure et le mystère sont pour elle un besoin vital.

» Dans sa vie précédente, on la retrouve dans le pays des Bédouins, à une époque où la guerre opposait les Grecs aux habitants de la plaine (aux environs de 900 avant Jésus-Christ). L'entité s'appelait alors Xenia et était le vice-commandant en chef des hommes de la plaine, qui provoquèrent la consternation parmi les envahisseurs en semant la zizanie dans leurs propres rangs ! Cette vie contribua à asseoir le pouvoir de l'entité, mais provoqua finalement sa perte. On retrouve dans le présent son amour des grands espaces et des mystères de la nature.

» Dans la vie précédente, aux environs de 10 000 avant Jésus-Christ, à une époque où le pays que l'on connaît maintenant comme l'Égypte était encore divisé, l'entité gravait dans le fer, au service de ceux qui gouvernaient. Elle donna des conseils à de nombreuses personnes. On retrouve ce besoin dans le présent – le désir de se mettre au service des autres et d'être en communication directe avec ceux qui détiennent le pouvoir.

» Beaucoup d'autres développements seront nécessaires pour que cette entité atteigne l'unicité avec les forces les plus élevées. Prends donc ceci en compte; laisse faire ceux qui veulent l'assister.

» C'est terminé pour l'instant ! »

Dans ce cas, il est évident que les sympathies d'Edgar Cayce vont plutôt au garçon qu'à ses parents. Lorsque ceux-ci demandèrent une seconde Étude, la seule information qu'il leur donna fut on ne peut plus brève : le jeune homme s'était embarqué sur un bateau parti de New York pour l'Europe.

Le cas suivant, quoique similaire, est beaucoup plus tragique.

Les raisins de la colère

La mère d'un jeune garçon de 12 ans, Lennie Talbot, demanda une Étude de vie pour son fils, dans l'espoir de comprendre son comportement agressif.

En dépit du tact dont Edgar Cayce a toujours su faire preuve, il laissa transparaître son inquiétude quant à l'avenir du garçon; il est d'ailleurs frappant de relever les avertissements implicites qui figurent entre chaque ligne de sa transcription.

« En considérant les souvenirs de l'entité, il est possible de les interpréter d'une manière optimiste ou très pessimiste. Car on se trouve en présence de vastes possibilités, mais il y a d'énormes obstacles à surmonter. Au stade où elle en est, l'entité peut devenir un nouveau Beethoven ou un Whittier; ou alors, un autre Jesse James ! En effet, l'entité a tendance à se surestimer; c'est justement ce qu'ont fait ces trois individus.

» L'entité possède de nombreuses capacités latentes, qui peuvent se développer dans la musique, la poésie ou encore la prose, où peu de gens excellèrent. Mais ces capacités peuvent se développer aussi de manière égoïste : l'entité, pour parvenir à ses fins, peut mésestimer son prochain.

» Au niveau astrologique, certains aspects sont latents, d'autres manifestes : les influences viennent de Mercure, de Vénus, de Jupiter, de Saturne et de Mars. Ces influences s'opposent les unes aux autres, dans une certaine mesure; elles laissent aussi à penser que le corps succombera à bien des excès, à moins que la période d'éducation de l'entité ne soit solide. Et l'entité est en train d'aborder cette période. Son esprit ne doit en aucun cas être brisé ! Chacun devrait faire preuve de fermeté tout en étant positif pour la forcer à raisonner et à s'analyser, à former sa propre conception des idéaux et des objectifs. De cette manière, nous offrirons au monde un individu réellement génial et nous contribuerons aussi au développement de son âme. Si cette éducation fait défaut, l'individu sera peut-être génial, mais sèmera le trouble parmi les siens !

» Quant aux apparitions antérieures sur terre, elles ont – comme le laissaient supposer ces diverses tendances – été très variées :

» L'entité se trouvait dans le camp des Français qui gravitaient autour de Fort Dearborn; elle était décidée à agir pour son propre compte, sans se soucier du mal ou du désarroi qu'elle pouvait infliger aux autres.

» Finalement, l'entité réussit à s'améliorer en partageant les souffrances des autres. On peut dire d'elle que, comme Jésus, elle apprit beaucoup grâce à la souffrance.

» Son nom était alors John Angel.

» Avant cette vie, l'entité se trouvait en France.

» Puis l'entité, avec certains groupes, prit part à des razzias dans le pays des Huns et trouva refuge dans la partie la plus méridionale de l'Italie.

» L'entité put alors exercer ses talents artistiques et musicaux dans de meilleures conditions, écrivant même des vers pour ensuite les mettre en musique.

» La possibilité de devenir un chef d'orchestre ou un écrivain fait partie de l'expérience présente de l'entité, pour autant qu'elle ne se surestime pas. Sur terre, chaque individu a autant de droits qu'un autre. Dieu ne respecte pas les hommes en fonction de leur aspect physique, de leurs bonnes manières ou de leur niveau d'études; il respecte l'individu en fonction de ses projets, de ses intentions et de ses désirs. Souvenez-vous de cela!

» Avant cela, l'entité se trouvait dans la Cité de l'or, au moment de l'évolution des différentes contrées de Saad, de Gobi et d'Égypte (10 000 avant Jésus-Christ).

» L'entité avait pour mission de veiller sur les dames en attente d'un enfant; elle prenait une part active à leur divertissement en leur chantant et récitant les poèmes de sa composition; plus que les divertir, elle contribuait ainsi à leur enrichissement spirituel.

» Auparavant, l'entité se trouvait sur le continent de l'Atlantide, durant la période qui précéda le second tremblement de terre, vers l'an 28 000 avant Jésus-Christ.

» L'entité accompagnait les Fils de Bélial, qui utilisaient les forces divines à des fins personnelles, pour satisfaire leurs propres appétits. Ce désir de

130

se satisfaire égoïstement constitua pour elle la pierre d'achoppement.

» Quant aux possibilités de l'entité pour sa vie actuelle, celles-ci sont illimitées. Comment seront-elles utilisées par l'entité ? De quelle manière les autres peuvent-ils aider l'entité à prendre conscience des activités qu'elle serait à même de concrétiser ? Il faut se poser soi-même ces questions.

» Apprends tout d'abord à connaître tes idéaux, au niveau spirituel, mental et matériel. Applique-toi ensuite à les réaliser, de sorte que jamais plus il n'y ait le moindre doute dans ta conscience, ni dans le regard des autres.

» Je suis prêt pour les questions. »

Q. : « Quelle sera son occupation principale ? »

E.C. : « Cela dépend de ce qu'il choisira. Il peut se diriger vers la musique ou la poésie. Et il peut échouer aussi bien que réussir en ces domaines. »

Q. : « Tous ses talents devraient-ils être développés ? »

E.C. : « S'ils ne sont pas développés, ils disparaîtront. »

Q. : « Êtes-vous en mesure de faire d'autres suggestions qui pourraient aider ses parents à le guider ? »

E.C. : « Que les parents apprennent à se montrer conformes à la volonté de Dieu; qu'ils n'aient pas honte de leur condition; qu'ils exercent des pressions là où il doit y en avoir, tout en gardant l'individu vierge des taches de ce monde.

» C'est terminé pour cette Étude. »

Le très long enchaînement de karma qui s'ensuivit pour l'enfant et qui fait encore maintenant sentir ses effets débuta à ce moment.

Premier extrait de la correspondance de la mère, février 1944 :

« L'Étude que vous avez faite de Lennie ne fut une surprise ni pour moi ni pour mon mari. Très tôt, nous nous sommes aperçus que sa formidable énergie devait être canalisée; notre fils entame maintenant sa troisième année dans une école catholique extrêmement stricte. L'oisiveté le détruirait. Il ressent souvent le besoin d'être mêlé au monde des adultes où il pense s'épanouir davantage. »

Deuxième extrait, septembre 1949 :

« Nous sommes extrêmement inquiets de la situation de notre fils, qui souffre d'une maladie mentale et nerveuse affligeante, dont on ne connaît pas encore les origines... »

Troisième extrait, juillet 1951 :

« Malgré toute la peine que nous avons éprouvée, la presse a été cruelle avec nous et il n'y a aucun doute que vous êtes au courant de notre tragédie. Mon fils Lennie, dont l'équilibre et la santé mentale étaient précaires depuis trois ans, a tué son grand-père et sa grand-mère, à coups de fusil, mercredi dernier.

» Hugh Lynn, votre père, était mon ami; je lui ai amené Lennie pour qu'il puisse le rencontrer et il nous donna à son sujet une Étude de vie qui comportait de nombreux avertissements. Je vous écris maintenant pour vous supplier de faire intervenir un de vos groupes de prière en notre faveur... »

Quatrième extrait, août 1951 :

« Lennie se trouve maintenant à l'hôpital de l'État. Les médecins, comme tous ceux qui l'ont examiné, ont diagnostiqué une démence précoce, de type schizophrénique. Mais vous, comme moi, savez qu'il s'agit d'un mauvais karma. Grâce à Dieu, son intellect semble intact : il s'adonne à la lecture des livres qu'il a toujours aimés et lit aussi les journaux. »

Cinquième extrait, octobre 1951 :

« Mon mari et moi nous sommes arrangés pour l'envoyer chez un psychiatre, le Dr Baker. Il est très doué; c'est un des pionniers dans le domaine des traitements à l'insuline et des électrochocs. Il n'y a pas de raison que Lennie ne bénéficie pas d'un traitement ostéopathique pendant qu'il est sous la surveillance du Dr Baker. Il m'a fait savoir qu'il garderait Lennie un mois complet en observation avant de commencer un quelconque traitement et je vais m'arranger pour que, ce mois déjà, on lui fasse de l'ostéopathie. En vous remerciant encore... »

Sixième extrait, novembre 1951 :

« (Ceci est la dernière lettre de Lennie; s'il vous plaît, veuillez me la renvoyer.)

» Chère mère, j'ai été vraiment très heureux d'avoir des nouvelles de ton voyage dans le centre des États-Unis.

» Je puis t'assurer que je me sens mieux depuis que le père Lindsay prie pour moi; je suis moins nerveux, moins inquiet.

» Feras-tu ton possible pour m'emmener suivre un traitement de "retour à la vie" ? Je pense que j'en tirerais un meilleur profit que de n'importe quelle autre sorte de traitement. Essaie de trouver un endroit où l'on pratique cette thérapie et allons-y.

» Pourrais-tu m'envoyer mes deux costumes de tweed et cette nouvelle paire de chaussures que je n'étais pas autorisé à porter là où je me trouvais avant ? Je pourrai certainement les mettre, car certains règlements sont bien moins sévères ici.

» J'aimerais aussi avoir ma montre-bracelet. Dis à papa de faire des courses pour moi, comme des chocolats et des friandises. On les appréciera beaucoup ici.

» Tu n'as probablement pas encore senti les effets

de l'augmentation des impôts cette année, mais la taxe sur ton revenu en 1952 sera plus élevée; tu te retrouveras donc avec moins d'argent pour vivre si tu ne parviens pas à faire certaines déductions. Finalement, comme investissement, c'est encore la propriété commerciale qui rapporte le plus, toutes déductions fiscales faites.

» Je t'aime, Lennie. »

Septième extrait, juin 1956 :

« Mlle Gladys Davis nous a recommandé le sanatorium Hildreth, c'est l'un de ceux qui avait l'approbation d'Edgar Cayce. Lennie a donc passé là-bas ces deux dernières années. C'est le seul endroit où il se sente bien. Lennie, qui n'a fait qu'une rechute, n'a cessé de faire des progrès et nous espérons toujours qu'il finira par guérir... »

Le cas que nous venons de considérer, plus que tout autre, montre bien qu'Edgar Cayce voyait le futur de deux manières bien différentes. Même si la destinée d'une âme comportait les effets de ses propres actions passées (conduisant ainsi à la prédétermination psychologique), l'avenir ne pouvait jamais être entièrement préétabli. Par exemple, la population d'un pays a la possibilité de modifier et de restructurer son avenir par ses comportements. Une détermination plus farouche et des efforts redoublés de la part des dirigeants responsables de la majorité en Allemagne auraient aisément pu prévenir l'avènement d'Hitler au pouvoir. L'Europe aurait alors pu suivre une évolution plus sereine. De même, les tremblements de terre qui sévissent en Californie et en Amérique du Sud ne feraient pas autant de dégâts si les habitants n'étaient pas aussi attachés aux biens matériels et quittaient ces régions.

Jamais Edgar Cayce ne fut plus clair que le jour où il donna une conférence, dans son état de conscience normale, pour un groupe de prière de l'ARE.

« Un jour, Dieu avertit un homme qu'une certaine ville allait être détruite. Cet homme parla avec son Dieu face à face et Dieu promit alors que, s'il y avait au moins cinquante hommes justes et droits dans la cité, il l'épargnerait... Je crois que, même s'il n'y avait eu que dix hommes justes et droits, Il aurait épargné la ville.

» Je pense que la terre continue de tourner, que le monde est toujours monde grâce aux hommes justes et droits. Ces gens justes et droits sont ceux qui ont fait preuve de compréhension vis-à-vis d'autrui... en patience, en souffrance, en amour fraternel, ceux qui préfèrent leur prochain à eux-mêmes.

» Lorsqu'il y en aura cinquante comme eux – ou peut-être cent, ou mille, ou un million –, alors la voie pourrait bien être ouverte pour Sa venue.

» Mais tous ces hommes justes et droits devront être unis dans leur désir de voir à nouveau le Christ marcher parmi les hommes. »

8

L'homme – un étranger sur la terre

Il serait bon à présent de passer en revue les différentes raisons qui font qu'Edgar Cayce voyait en Dieu la seule possibilité d'alléger les mortifications de l'âme lorsque celle-ci atteint un désespoir tel que l'homme lui-même ne peut plus lui être d'une aide quelconque.

Nous avons déjà souligné qu'Edgar considérait l'âme comme une création de Dieu, contenant en son sein une infime partie de Lui. Le lecteur aura amplement eu l'occasion de se rendre compte que, pour lui, toute peine mortelle provient de l'âme elle-même, qui fait mauvais usage du libre arbitre que le Créateur lui a accordé.

En d'autres termes, Dieu ne peut ni dénoncer, condamner, punir ou être corrompu, ni accorder des faveurs spéciales à certains élus. Il a renoncé à tous ces privilèges lorsqu'Il a donné à chaque âme la liberté d'agir, de choisir et de décider comme elle l'entendait. Maintenant, Il ne peut qu'attendre patiemment, avec une certaine compassion, que l'âme décide du moment où elle va faire usage de sa volonté pour retourner à Lui, après avoir réalisé qu'Il était en fin de compte un meilleur Créateur qu'elle ne pouvait l'être elle-même.

Le lecteur pourra objecter que cette théorie est acceptable au niveau du subconscient, mais que cela laisse la conscience de l'homme dans une position plutôt inconfortable, ne sachant pas à quel moment elle doit prendre ses responsabilités.

Si nous nous référons maintenant à la première séance qui réunit, en 1923, Edgar Cayce et Lammers, il devient plus facile de cerner la logique fondamentale qui sous-tend la philosophie de Cayce.

Lammers : « Qu'est-ce que l'âme d'un corps ? »

Cayce : « C'est ce que le Créateur a donné au commencement à chaque individu et qui est maintenant à la recherche de la demeure – ou de l'endroit – du Créateur. »

Lammers : « L'âme est-elle mortelle ? »

Cayce : « Elle peut être bannie par le Créateur. Mais ce n'est pas la mort. »

Lammers : « Comment et pourquoi l'âme peut-elle être bannie par son propre Créateur ? »

Cayce : « En recherchant son propre salut, l'individu la bannit lui-même. »

Lammers : « Qu'entendez-vous par la personnalité ? »

Cayce : « La personnalité, c'est ce que nous connaissons sous le terme de conscience, dans le domaine physique. Lorsque le subconscient contrôle l'être (par exemple en cas d'hypnose), la personnalité est éloignée de l'individu et se trouve à ce moment au-dessus du corps physique. C'est exactement mon cas en ce moment.

» Une telle modification ne manque pas de troubler les autres "parties" de l'individu. »

Cela fut illustré de manière fort éloquente quelques années plus tard, alors que Hugh Lynn Cayce, le fils d'Edgar, dirigeait une séance publique. Un des hommes de l'assistance griffonna quelques mots sur un bout de papier et le tendit à Hugh Lynn en passant son bras au-dessus du corps hypnotisé de son père; celui-ci cessa immédiatement de parler et tomba dans un profond silence cataleptique, qui ne manqua pas de déconcerter son fils. Cette situation n'avait aucun précédent et il ne savait comment la résoudre. Quelques heures plus tard, Edgar quitta brusquement sa position allongée pour se « catapulter » sur ses pieds, quittant le divan sur lequel il reposait. Tout cela fut fait avec une rapidité incroyable, plus rapidement encore que dans un film que l'on aurait passé en accéléré. Alors que Hugh Lynn était encore sous le coup de l'émotion, son père demanda d'une voix parfaitement naturelle qu'on lui apporte quelque chose à boire et à manger. Il avait extrêmement faim et soif.

Au cours d'une Étude qui suivit de peu cet événement, Edgar devait expliquer que sa « personnalité » – évincée de son corps physique par le procédé de l'auto-hypnose – s'était élevée à quelque 50 centimètres au-dessus de son corps. Au moment où l'homme avait tendu son morceau de papier à Hugh Lynn, il avait fait passer son poignet au travers de l'équivalent astral de la cage thoracique d'Edgar. Pour lui, l'impact fut aussi fort que celui d'un sabot de cheval en pleine ruade.

La capacité qu'a le corps de se diviser en au moins trois niveaux distincts – un peu comme les physiciens nucléaires ont divisé l'atome en différents types d'énergies, distincts les uns des autres, mais qui coexistent – ne peut se manifester que dans des cas exceptionnels, comme celui d'Edgar Cayce. Il peut se mouvoir entre les différents niveaux de la conscience avec la facilité d'un homme qui passe des ondes moyennes aux ondes courtes, puis à la télévision, tout cela sur une même console.

La logique de base de ce principe est très simple : la partie la moins efficace de chaque unité – spirituelle, humaine ou mécanique – en est sa composante la plus éphémère. Dans la constitution de l'homme, le corps physique – l'enveloppe charnelle ou encore « l'abri temporaire » de l'âme éternelle – est l'unité qui se consume le plus rapidement.

Le lézard qui voit sa queue repousser sans cesse n'attache aucune importance particulière à cette partie de son anatomie. Il est rassuré parce qu'il sait que, pendant qu'une nouvelle queue va lui pousser, celle qu'il a perdue ne donnera pas naissance à un double de lui-même.

Malheureusement, l'ego de l'homme n'est pas capable de raisonner avec autant de lucidité. Pour retourner la métaphore et la mener à sa conclusion logique : pour le psychisme humain, le corps fait office de moteur, d'élément irremplaçable et nécessaire. C'est là que réside le commencement et l'aboutissement de la misère humaine. C'est ce qui a conduit les existentialistes sartriens à s'embourber dans des sciences inexactes et les théologiens d'avant-garde à s'éloigner toujours davantage de leur responsabilité spirituelle, pour créer une sorte de religion instantanée en partant de l'adage : « Dieu est mort. »

Une même loi pour toutes les planètes

« L'instabilité de la vérité ne gêne ni l'âme ni le physique, dit Edgar Cayce à Lammers. Chaque individu doit diriger sa propre existence, que ce soit dans cette sphère ou à d'autres niveaux. »

Cette loi éternelle de cause à effet, à laquelle chaque âme répond, est valable sur toutes les autres planètes de notre système, même si notre planète est la seule où existe une vie physique telle que nous la connaissons.

Les composantes des autres planètes peuvent être aussi diversifiées que les atomes le sont au regard de la physique nucléaire. Leur structure peut aller de l'unidimensionnel à la racine cubique de x dimensions. Et chacune des composantes y va de sa propre contribution à l'évolution éventuelle de l'âme.

« Tout ce qui est insuffisant, déficient, est rejeté sur Saturne », disait Cayce, laissant sous-entendre que Saturne remplissait la fonction d'une espèce de four, qui consumait lentement toutes les scories accumulées par les âmes ayant trop régressé, empêchant du même coup leur retour immédiat sur terre.

Si Edgar Cayce a raison en suggérant que le mouvement universel des planètes a une influence sur chaque âme, on peut en déduire que l'arrivée d'une âme sur notre planète dépend de ce mouvement. Cela est valable quelle que soit sa provenance.

Lammers : « D'où vient l'âme, et comment pénètre-t-elle dans l'enveloppe charnelle du corps ? »

Cayce : « Elle se trouve déjà en lui. Au moment où le corps de l'homme naît, au moment où il respire pour la première fois, il devient aussitôt une âme vivante, pour autant qu'il ait atteint ce stade de développement où l'âme peut entrer directement et trouver un endroit où loger. »

Lammers : « Est-il possible pour ce corps, dans l'état où il se trouve, d'entrer en communication avec quelqu'un qui serait déjà passé dans le monde spirituel ? »

Cayce : « L'esprit de ceux qui ont dépassé notre plan physique reste à proximité de celui-ci, jusqu'à ce que son développement lui permette d'aller plus loin, ou jusqu'à ce qu'il se réincarne dans notre monde. Pendant que ces esprits restent dans le plan de la communication de notre sphère, chacun peut entrer en contact avec eux. Il y en a pour l'instant des milliers, tout proches de nous... »

Les influences des planètes

Lammers : « Citez les noms des principales planètes ayant une influence sur nos vies. »

Cayce : « Mercure, Mars, Jupiter, Vénus, Saturne, Neptune, Uranus et Septimus. »

Lammers : « Certaines de ces planètes sont-elles habitées par des êtres humains ou par une forme de vie animale ? »

Cayce : « Non. »

Lammers : « Citez-moi la planète qui influe actuellement le plus sur la Terre. Quelle est la nature de cette influence ? »

Cayce : « C'est Mars, qui ne sera qu'à 56 millions de kilomètres de la Terre en 1924.

» Son influence se fera surtout sentir lorsqu'elle s'éloignera à nouveau de la Terre; quant à ceux qui ont séjourné sur Mars, ils ressentiront, lors de leur vie terrestre, la période troublée qui va suivre avec plus de force que les autres. Cette tendance ne sera compensée que par la présence de ceux qui viennent de Jupiter, de Vénus et d'Uranus. »

Les influences astrologiques

Lammers : « S'il vous plaît, veuillez définir l'astrologie. »

Cayce : « Les inclinations de l'homme sont régies par la planète sous laquelle il est né, car la destinée de l'homme réside dans le mouvement universel.

» Au commencement, la Terre fut mise en mouvement. Puis, avec l'association des autres planètes, commença à prendre forme la destinée de toute matière créée.

» La force la plus puissante qui affecte la destinée de l'homme est le Soleil; puis viennent ensuite les planètes les plus proches de la Terre, ou celles qui étaient en train de se rapprocher à l'époque de l'apparition de l'homme.

» Exactement comme les marées sont réglées par l'orbite de la Lune autour de la Terre, les actions de l'homme sont fonction de la gravitation des planètes autour de la Terre.

» MAIS QUE CECI SOIT BIEN CLAIR : AUCUNE ACTION D'AUCUNE PLANÈTE, NI LES PHASES DU SOLEIL, DE LA LUNE OU DE N'IMPORTE QUEL CORPS CÉLESTE NE PEUVENT TRANSGRESSER LA RÈGLE DU LIBRE ARBITRE DE L'HOMME : ce pouvoir que le Créateur a donné à l'homme dès le commencement, lorsqu'il devint une âme vivante douée de la capacité de choisir librement, pour son propre compte...

» Dans notre système solaire, les âmes voyagent, toujours et encore, vont d'une planète à l'autre, jusqu'à ce qu'elles soient prêtes à rencontrer le Créateur de notre Univers, dont notre système n'est qu'une infime partie. Mais ce n'est que sur notre planète, pour l'instant, que nous trouvons des hommes faits de chair et d'os. Sur les autres, il n'y a que Ses propres créatures, qui préparent Son propre développement. »

L'âme est immortelle

À quoi ressemble notre monde pour une âme qui se trouve provisoirement libérée de son enveloppe terrestre ? Le cadre de référence le plus simple consisterait à comparer le poids et la densité d'un astronaute sur terre avec son poids et sa densité lorsqu'il est en orbite.

Il est maintenant évident qu'un astronaute, une fois libéré du champ de gravitation terrestre, relié à sa capsule par une mince corde de nylon, passe par des moments d'euphorie et de joie intense; il ne ressent plus aucun lien avec la Terre; il éprouve le désir de rester « suspendu » dans l'espace.

Supposons maintenant que la différence entre l'âme, libérée par la mort, et l'âme emprisonnée dans son enveloppe charnelle ne soit qu'une différence de densité et de vibration, pas plus complexe que la différence entre l'astronaute flottant dans l'espace et ce même astronaute occupé à faire ses contrôles avant la mise à feu. Avant le décollage, il n'a que très peu de liberté de mouvement, si ce n'est aucune; par contre, une fois dans l'espace, il en a bien plus qu'il ne lui en faut. Et pourtant, par essence, c'est toujours le même homme.

S'il vous est possible d'accepter ce raisonnement, il devient dès lors plus aisé de remonter jusqu'à la Création et de s'imaginer les âmes lorsqu'elles prirent, pour la première fois, conscience de leur existence.

La Terre était encore en train de se refroidir après sa naissance dans le feu; la séparation de

144

l'eau et de la terre avait suivi de peu. Puis apparut la vie animale; l'unique matière solide que les âmes aient jamais connue était en train de se manifester sur la surface du globe. En d'autres termes, seule la planète Terre se conformait aux lois de la densité et de la gravitation telles que nous les connaissons actuellement.

Planant au-dessus de la Terre, les âmes avaient suivi cette lente évolution avec fascination. Maintenant, avec la division du règne animal en espèces mâles et femelles, leur curiosité allait les pousser à s'éloigner de leur propre type d'évolution pour tenter l'expérience de l'incarnation dans une forme mortelle. Mais souvenez-vous : à cette époque, leurs corps ne disposaient encore que d'une texture spirituelle raréfiée. Pour en revenir à l'exemple de l'astronaute, elles étaient « sans poids ».

Cayce utilise constamment le terme de « formes de pensée » lorsqu'il parle de leur condition à ce stade de leur développement. Une forme de pensée est exactement ce que le mot lui-même suggère : une forme créée par une concentration de pensée, qui manque encore toutefois de matière solide. À tous les niveaux mentaux autres que celui de l'esprit conscient, « les pensées sont des choses » et ainsi, une forme de pensée, une fois créée, est-elle réelle et tangible.

Cette forme de pensée ne peut se manifester à l'esprit conscient que sous la forme d'une vision ou d'une hallucination. Des doses inconsidérées de substances lytiques brisent les barrières de protection et font entrer alors l'individu en contact direct avec les formes de pensée, généralement les siennes; mais il peut aussi bien entrer en contact avec les formes de pensée des autres. Lorsque ces contacts externes sont avec les forces du mal, ces rencontres peuvent avoir des conséquences désastreuses sur la santé et l'équilibre de la personne.

Lorsqu'un bon hypnotiseur dit à l'un de ses sujets en transe qu'il tient une orange dans sa main vide et que le sujet commence docilement à manger cette orange, il est, au niveau de ses intentions, réellement en train de consommer le fruit. Le sujet a créé une forme de pensée de cette orange au niveau de son subconscient, là où la pensée EST matière.

Cayce a expliqué que toute âme intègre pouvait entrer et sortir de la matière comme elle le voulait, qu'elle était capable de s'adapter aux conditions qui avaient déjà pris forme dans sa pensée.

Parce qu'il n'avait jamais été dans l'intention de Dieu de laisser les âmes se manifester sur terre sous la forme de corps humains, il n'y avait aucune division de ces âmes entre mâles et femelles. Pour cette raison, elles étaient parfaitement incapables de se reproduire. Leur seul moyen d'y parvenir consistait donc à « occuper » le corps d'un animal, exactement comme un bernard-l'ermite occupe le coquillage vide d'un autre crustacé; la seule différence est que, dans le cas de l'âme, le corps est déjà occupé !

De cette manière, deux formes de vie parfaitement étrangères l'une à l'autre tentèrent de partager un héritage physique commun. Les risques étaient évidents. Néanmoins, certaines parmi les plus audacieuses des âmes eurent recours à leur libre arbitre pour s'introduire dans cette « vibration » plus dense de matière animale. Quant aux âmes plus sages et plus prudentes, elles hésitèrent et elles firent bien ainsi.

Les âmes qui se trouvèrent alors enfermées dans leur prison de chair furent incapables d'en ressortir.

Cette enveloppe étrangère du monde matériel agissait sur elles comme les dents d'une machine infernale, implacable. Elle les dévora pour ne jamais les relâcher. Ces âmes se trouvèrent inéluctablement engagées dans le processus de la procréation. Sur la Terre apparut alors une espèce hybride et tourmentée, ni homme ni animal – ou plutôt mi-homme, mi-bête – incapable de se conformer entièrement aux lois du monde, et incapable d'en réchapper.

« Tout cela n'amena que haine, effusion de sang, ainsi que les tentations de l'égoïsme et de l'autosatisfaction, sans considération pour la liberté d'autrui », dit Cayce.

Les âmes qui avaient conservé leur liberté furent incapables de venir au secours des autres. Elles ne pouvaient que regarder, impuissantes et déroutées.

C'est pour cette raison que Dieu décida de créer un moule physique parfait, ou un corps de chair et d'os, dans lequel les « âmes sauvées » pourraient s'incarner en toute sécurité. Symbolisé dans la Genèse par la création d'Adam, l'homme fit son apparition, sous sa forme actuelle, simultanément à cinq endroits différents de la planète; chacun de ces cinq groupes nouvellement créés était ethniquement distinct des autres.

Cayce se réfère à ces âmes ainsi purement incarnées comme aux « Fils de Dieu », pour les distinguer des âmes emprisonnées dans des formes animales. C'est celles-là qu'il appela les Fils de l'Homme.

L'avertissement figurant dans la Bible, « maintenez pures les races », tire son origine de cette première apparition d'âmes non contaminées sur la Terre. Pour elles, les âmes hybrides, avec leur lot de difformités, étaient assimilées aux intouchables des Indes.

Les Fils de Dieu, dans leurs cinq catégories raciales distinctes, avec une pigmentation de la peau blanche, noire, brune, rouge ou jaune, construisirent chacun leur propre civilisation, sur des continents maintenant disparus, ou tellement modifiés par les accidents géologiques qu'ils ne sont plus reconnaissables. L'océan Atlantique recouvre maintenant le continent de l'Atlantide (berceau de la race rouge), comme l'océan Pacifique recouvre le continent submergé de Lémurie (berceau de la race noire).

Les Études d'Edgar Cayce ne contiennent que très peu d'informations relatives à la Lémurie. Elles renferment par contre de nombreuses indications sur l'Atlantide (200 000 à 10 700 avant Jésus-Christ). Selon les renseignements figurant dans ces Études, il y a fort à parier que ce continent fut également le berceau de notre civilisation actuelle.

Le vaste groupe d'âmes qui le peuplait fut à la fois le plus agressif et le plus riche que le monde eût jamais connu depuis qu'il est monde.

À l'apogée de leur civilisation, les habitants de l'Atlantide connaissaient la télépathie, utilisaient le courant électrique, maîtrisaient la propulsion mécanique de vaisseaux maritimes et aériens, possédaient un système de communications par ondes courtes, avaient considérablement allongé leur espérance de vie grâce à une médecine très sophistiquée et utilisaient comme principale source d'énergie la Pierre Tuaoi de « Crystal Terrible », qui est l'ancêtre du rayon laser. Une mauvaise utilisation de cette énergie devait détruire le continent de l'Atlantide, anéantissant du même coup toute une civilisation.

Les habitants de l'Atlantide étaient l'expression même de la vie humaine, infatigables, pathétiques même, s'acharnant inlassablement à utiliser et à améliorer les lois de la nature. Ils finirent par acquérir un pouvoir fantastique; malheureusement, ils en abusèrent.

De leurs balbutiements spirituels en tant que civilisation qui reconnaissait l'existence d'un Dieu unique, ils en arrivèrent finalement à le rejeter et à le remplacer par un dieu totalitaire et brutal, adorant en fait ainsi leurs propres vices.

Les habitants de l'Atlantide réduisirent à l'esclavage les âmes hybrides, ou mutants, les soumettant à toutes les formes de dégradation et d'abus.

Ils étaient parfaitement conscients de l'existence des lois du karma, mais ils commirent l'erreur impardonnable de penser que les dettes accumulées pourraient facilement être acquittées dans le futur. C'était sans compter avec un facteur capital : le chemin de l'évolution peut soudainement modifier son cours et faire revenir les âmes en arrière pour qu'elles paient leurs dettes, en les réincarnant dans des corps privés de la science et du pouvoir qu'elles avaient accumulés.

C'est exactement ce qui leur arriva. Lorsque les sens de l'homme furent réduits aux cinq sens minimaux qu'il possède aujourd'hui, le misérable habitant de l'Atlantide se retrouva aussi démuni et impuissant qu'un bernard-l'ermite dépourvu de son coquillage.

Les dettes karmiques dont on devait si facilement s'acquitter dans une vie ou deux se multipliaient soudain à l'infini. Au lieu de deux vies, certaines des offenses à Dieu demandaient maintenant des milliers de vies de rédemption. Plutôt que de supporter éternellement un tel fardeau, ils choisirent finalement la déroute spirituelle. Cependant, cette immense accumulation de dettes subsista; elles ne sont toujours pas payées.

Dès le début de ce siècle, Edgar Cayce commença à annoncer le retour des deux types d'habitants de l'Atlantide, en très grand nombre. Il lança un avertissement en affirmant que, pour chaque progrès de la science, pour chaque amélioration des conditions matérielles que pourraient réaliser les Fils de Dieu, les Fils de l'Homme pourraient bien apporter la corruption et le chaos.

« Les âmes de l'Atlantide sont extrémistes : elles ne connaissent pas de juste milieu », affirmait Cayce péremptoirement, ajoutant que l'on retrouverait les habitants de l'Atlantide parmi les leaders de toutes les nations impliquées dans les deux guerres mondiales. Ainsi, pour faire une comparaison grossière, on pourrait situer Roosevelt et Churchill à une extrémité de l'échelle des valeurs, Hitler et Staline à l'autre. De la même manière, on peut opposer le pape Jean XXIII à Mao.

Les progrès que peut effectuer une civilisation, de la barbarie à la démocratie, n'impressionnent absolument pas l'homme impénitent de l'Atlantide, sauf s'il constate que « son monde n'est plus ce qu'il était » et sombre dans la folie. Il se drogue alors au LSD, ou grimpe dans la tour d'un collège, armé d'une carabine, et tire sur tous les « usurpateurs qui ont transformé le monde ». S'il dispose d'un instinct de conservation plus manifeste, il se contentera d'être un hors-la-loi qui mine les fondements de la société dans laquelle il vit. On le retrouvera derrière le politicien corrompu, le semeur de troubles, l'extrémiste lunatique qui fera preuve de discrimination raciale ou religieuse ou encore le fraudeur.

« Comme nous l'avons dit, les habitants de l'Atlantide avaient fait des progrès considérables et s'étaient familiarisés avec les activités divines sur terre, mais ils omirent le Dieu Unique par Lequel tous vivent. C'est ainsi qu'ils en arrivèrent à la destruction de leur corps, mais pas de leur âme. Il y a énormément de rescapés de l'Atlantide sur notre planète, aujourd'hui. »

À l'opposé des extrémistes de l'Atlantide qui adorent encore la luxure, la violence et la mort, il y a leurs âmes sœurs plus expérimentées et modérées, qui ont acquis une saine expérience de leurs diverses réincarnations – « ces forces nobles et puissantes, tempérées par l'amour et la rigueur ». C'est avec celles-ci que va le Christ. C'est sur elles que nos descendants devront prendre exemple pour éviter que ne se répète un cataclysme semblable à la disparition de l'Atlantide.

Cette conception prit toute sa valeur lorsqu'une Étude de vie pour un jeune enfant montra qu'au cours de sa vie sur l'Atlantide il avait adoré le Dieu Unique.

À l'époque de la troisième et dernière inondation du continent, les usurpateurs du pouvoir étaient les Fils de Bélial, dont le dieu du mal était destiné à survivre au Déluge sous les traits corrompus de l'idole biblique Baal. L'enfant en question avait été persécuté par ces Fils de Bélial, « comme il le sera encore au cours de sa vie présente. Que l'entité se considère donc comme avertie et prenne garde à tous ceux qui pourraient lui vouloir du mal ».

« Admettant la réincarnation comme un fait, dit par ailleurs Edgar Cayce, admettant que des âmes aient occupé l'Atlantide, et admettant que ces âmes pénètrent maintenant dans notre sphère terrestre, si elles modifièrent à ce point le cours de la vie terrestre pour en arriver à leur propre destruction, n'est-on pas dès lors en droit de se demander si elles ne vont pas à nouveau modifier le cours de la vie actuelle ? »

Dans l'une des Études qu'il fit pour un enfant, Edgar Cayce conseilla aux parents d'aiguiller leur fils vers une profession technique ayant trait « à la radio, à la télévision ou à quelque chose de semblable » à cause de l'expérience qu'il avait acquise dans les communications lors de sa vie sur l'Atlantide; il était alors devenu expert dans l'utilisation des ondes sonores sous-marines, ainsi que « dans la manière d'utiliser la lumière à des fins de communication. À cette époque-là, le code morse était déjà passé de mode ».

Ailleurs encore, il conseilla à un jeune homme de faire carrière dans l'électronique parce que « aucune des applications modernes dans ce domaine n'était étrangère à l'entité, même si elle ne les comprenait pas immédiatement ».

Les progrès technologiques que les scientifiques de l'Atlantide ont apportés avec eux dans notre siècle ont permis de vaincre la maladie, de conquérir l'espace et de diviser l'atome, mais ils ont également donné naissance à la bombe H – le même type d'exploitation de l'énergie nucléaire qui a provoqué la destruction de ses inventeurs et l'ensevelissement de leurs remparts arrogants dans les profondeurs de l'océan...

Pourquoi cette race, qui atteignit la gloire, n'a-t-elle rien appris de ses erreurs ? Pourquoi n'a-t-elle tiré aucune leçon de son expérience totalitaire ? Parce qu'elle a toujours refusé de suivre l'évolution spirituelle du monde et de se réincarner dans le cycle de ses âmes. Mais sa plus grande erreur fut certainement son ignorance du Christ. Le dernier souvenir qu'ils aient de lui précède de deux cents siècles la rédemption de l'âme humaine. Ne se rappelant rien du Christ, ils n'ont aucune raison d'abandonner leur ancienne croyance en la suprématie du plus fort. Aujourd'hui encore, ils seraient tout aussi enclins à réduire à l'esclavage les nations les plus faibles, comme ils l'avaient fait avec les mutants du temps de leur grandeur – ces « choses » ou ces « monstruosités » que les Fils du Dieu Unique ont emportées avec eux de l'Atlantide en Égypte, où les prêtres-médecins les ont soignés pour faire disparaître leurs caractéristiques animales et faire d'eux des hommes.

« Tel est le but de l'entité sur la Terre, pour être un exemple vivant de ce qu'Il nous a donné : "Laissez venir à Moi les faibles et les miséreux; prenez Ma croix sur vous et vous apprendrez à Me connaître." Tels sont les objectifs sur la Terre, que tu vas faire valoir de manière éclatante – sinon ce sera un autre misérable échec, comme tu l'as fait sur l'Atlantide, et comme nombre d'autres âmes le font encore maintenant. »

L'Armageddon final, prédit Cayce, ne se jouera pas sur la Terre. Cela se passera entre les âmes qui quittent la Terre et celles qui tentent d'y revenir – les âmes qui s'en retournent vers le Dieu qu'elles avaient autrefois abandonné, et les âmes perdues qui espèrent Le rejeter pour l'éternité en se raccrochant à tout prix à cette planète perdue.

En termes orthodoxes, il s'agira d'une guerre entre les morts, non d'une guerre entre les vivants.

Mais Edgar Cayce ne fait pas davantage de différence entre les morts et les vivants qu'entre la chenille, le cocon et le papillon. Ainsi, les âmes qui se retrouveront impliquées dans l'Armageddon final seront les mêmes âmes que celles du Commencement. Rien n'aura changé, excepté le niveau de conscience qu'elles occuperont. Elles n'auront fait que se transposer du domaine fini de la matière dans le plan éternel de leur origine.

9

Edgar Cayce : ce que je crois

En 1941, Edgar Cayce eut l'occasion de faire une Étude pour deux membres de l'Association pour la Recherche et l'Élucidation, dans laquelle il leur recommanda de résoudre leurs oppositions karmiques au niveau du travail qu'ils effectuaient pour l'Association. Suite à cela, ils avaient sagement enterré la hache de guerre et travaillé côte à côte de manière harmonieuse.

L'Étude les concernant avait expliqué qu'ils s'étaient mutuellement pardonnés, « car chacun avait appris à bien se reconnaître. Rappelle-toi l'avertissement qu'Il a donné : "Lorsque tu es converti, emploie-toi à fortifier autrui !" Ne perds jamais de vue que Lui, le Maître, Jésus, marchera avec toi – pour autant que tu désires marcher avec Lui ».

Les deux membres de l'ARE avaient été l'ennemi l'un de l'autre dans plus d'une vie – non pas à cause du conflit de leurs idéaux, mais bien parce qu'ils servaient le même idéal de façon différente. Plutôt que de se haïr l'un l'autre, ils étaient jaloux de leur gloire et de leurs succès réciproques. Le conflit entre leurs ego avait pris le pas sur leur dévouement pour leurs semblables et avait ainsi retardé leur progrès spirituel au cours des siècles.

Dans cette même Étude, Edgar Cayce fit part de son immense préoccupation pour les âmes ignorantes, dans la période qui suivait immédiatement la mort physique. Si une âme avait vécu sans prendre conscience du flot interrompu de la vie qui va d'un niveau de conscience à un autre, elle pouvait « passer au travers des différentes étapes de sa vie sans en comprendre le sens, jusqu'à ce que la chance pour elle de comprendre soit passée ».

Il dit l'espoir qu'il avait de voir l'ARE faire resurgir la vérité « lors de chaque phase de l'expérience d'un individu pendant sa vie terrestre – grâce à des livres, des brochures, des conférences, des discussions – de manière que la connaissance et la sagesse soient accessibles à tous ceux qui avaient choisi de chercher à les atteindre ».

Sa confiance totale au pouvoir du Christ de préserver et d'éclairer l'âme humaine est sous-jacente à chacune de ses pensées. En 1932, alors qu'on lui demandait quelle était la raison principale de la non-réincarnation d'une âme, il répondit : « La réincarnation, comme la non-réincarnation, procèdent de la même loi : celle du libre arbitre. Une âme peut choisir de ne jamais se réincarner et de souffrir, et souffrir encore – car le paradis comme l'enfer ont été construits par l'âme elle-même.

» Mais une âme doit-elle crucifier sa chair, comme Lui l'a fait, au moment de découvrir qu'elle doit mériter son salut dans le monde matériel par ses propres efforts, en y revenant sans cesse jusqu'à ce qu'elle parvienne au niveau de conscience qui ferait d'elle le compagnon du Créateur ?... Mieux vaut recourir à la loi du pardon tout au long de ton expérience, grâce au Fils qui se mettra à ta place. »

Cayce n'a jamais prétendu être un homme de lettres; ce qu'il a écrit dénote cependant une étonnante lucidité et sa pensée n'a jamais été obscurcie par une quelconque prétention. Nous en voulons pour preuve cette conférence qu'il a donnée pour l'ARE en 1933, au cours de laquelle il expliqua sa propre attitude vis-à-vis de ses pouvoirs parapsychologiques en des termes qu'il serait difficile d'améliorer.

« Quelle validité accorder aux informations qui me parviennent lorsque je suis en état d'hypnose ? C'est une question, naturellement, que chacun est en droit de se poser. Personnellement, je pense que cette validité dépend largement de la foi et de la confiance de celui qui fait appel à pareille source d'information.

» De cette source d'information, et bien que je fasse ce travail depuis trente et un ans, je ne sais en fait pas grand-chose. Quoi que je puisse dire, cela sera largement une question de conjecture. Je ne peux affirmer que je possède une vaste connaissance, car souvent je ne fais que tâtonner.

» Mais alors, n'apprenons-nous pas beaucoup par expérience ? Nous n'aurons la foi et ne parviendrons à comprendre qu'en faisant un pas à la fois. La plupart d'entre nous n'ont pas la révélation immédiate de la religion. Généralement, nous parvenons à nos conclusions personnelles en accordant les faits à nos aspirations les plus profondes.

» En fait, il me semble qu'il n'y a pas une, mais plusieurs sources d'information dans lesquelles je puise lorsque je me trouve dans ce sommeil hypnotique.

» L'une de ces sources, apparemment, est la

mémoire dont dispose un individu de toutes les expériences qu'il a vécues au cours de ce que nous appelons le temps. La somme globale des expériences de cette âme se trouve inscrite, si l'on ose dire, dans le subconscient de cet individu aussi bien que dans ce que nous appelons les souvenirs akashiques. N'importe qui peut avoir accès à ces souvenirs, pour autant qu'il soit capable de se mettre sur la bonne longueur d'onde. Apparemment, il semble que je sois l'un des rares individus qui puisse s'approcher suffisamment d'une personnalité pour permettre à son âme de se "brancher" sur cette source universelle de connaissance. Je dis cela de manière un peu arrogante; en fait, je ne prétends pas posséder un pouvoir que d'autres ne posséderaient pas. Je crois sincèrement que tout le monde dispose de cette capacité. Je suis certain que tous les êtres humains possèdent largement plus de pouvoirs qu'ils ne croient – pour autant qu'ils soient prêts à payer le prix, à se détourner de leurs intérêts égoïstes; telle est la principale condition requise pour développer ce genre de pouvoirs. Désiriez-vous, ne serait-ce qu'une fois par an, mettre de côté votre propre personnalité, vous situer complètement en dehors d'elle ?

» De nombreuses personnes m'ont demandé comment je parvenais à empêcher des influences néfastes d'entraver mon travail. Pour répondre à cette question, laissez-moi vous conter une expérience que j'ai vécue lorsque j'étais enfant. J'avais entre 11 et 12 ans et j'avais déjà lu la Bible trois fois. Maintenant, je l'ai lue cinquante-six fois. C'est-à-dire au moins une fois chaque année.

» Quand j'étais enfant, je priais pour, une fois adulte, avoir le pouvoir d'aider mon prochain, de l'aider à se comprendre lui-même et surtout de secourir les enfants malades. Un jour, j'ai eu une vision qui m'a convaincu que mes prières avaient été entendues et que mes vœux seraient exaucés.

» Alors j'espère que mes prières continueront d'être entendues. Et, chaque fois que je suis en état d'hypnose, je le fais avec foi. Je crois aussi que la source d'information vient de l'Univers, pour autant que la connexion ne soit pas faite dans le but de faire vaciller les désirs et les aspirations de la personne qui demande l'Étude.

» Maintenant, certaines personnes pensent que les informations me parviennent par une personnalité disparue qui désire communiquer avec une autre : une sorte d'esprit bienveillant ou de guide venu de "l'autre côté". Parfois, cela peut se révéler vrai, mais, en général, je ne suis pas cette sorte de "médium". Toutefois, si une personne vient me voir et me demande ce genre de contact, je pense qu'elle le recevra.

» Par exemple, si le désir de cette personne est très intense d'entrer en communication avec son grand-père, avec un oncle ou avec quelque grande âme, alors les contacts seront établis dans ce sens et ce sont eux qui deviendront la source.

» Mais n'allez surtout pas croire que je jette le discrédit sur ceux qui se dirigent dans cette direction. Si vous voulez entendre ce qu'a à dire votre vieil oncle Joe, vous pourrez le savoir. Si vous avez l'intention de dépendre d'une source universelle, vous pourrez également l'entendre.

» Vous recevrez ce que vous demandez : c'est comme une épée à deux tranchants; elle coupe des deux côtés. »

Deux ans plus tôt, Edgar Cayce avait dit au public de l'ARE : « Maintenant, qui sera le juge pour décider de quelle manière doit être conduite la recherche dans le domaine des mystères de la vie ? Avec les connaissances dont nous disposons, il ne nous est possible de juger qu'en fonction des résultats de cette recherche, en fonction de ce que les gens obtiennent lorsqu'ils sondent ces mystères de la vie.

» Souvent, des gens qui viennent de faire ma connaissance me demandent : "Êtes-vous un spiritualiste ? Comment vous êtes-vous intéressé aux phénomènes psychiques et parapsychologiques ? Ou êtes-vous un médium ? Qu'êtes-vous au juste ?"

» Mon plus vif désir a toujours été de leur répondre en fonction de la foi qui m'habite. Il me semble que si l'on est incapable de répondre selon la foi qui nous fait vivre, on n'est pas en règle avec soi-même. Car c'est la foi qui nous fait vivre, jour après jour. Si nous ne savons pas ce que nous croyons, ni pourquoi nous y croyons, nous nous éloignons alors terriblement de ce que la Source de Vie voulait faire de nous.

» Qu'est-ce que la vie ? Que recèle le phénomène de notre propre vie ? Où et comment ces différents phénomènes se manifestent-ils ?

» Nous disposons d'un corps physique; nous disposons d'un corps mental; nous disposons d'un corps spirituel, en d'autres mots d'une âme. Chacune de ces trois parties de notre être possède ses propres attributs. Exactement comme le corps physique a ses subdivisions – toutes dépendantes les unes des autres –, l'esprit bénéficie de sa propre source d'activité qui se manifeste de diverses manières au travers du corps de l'individu.

» L'âme aussi dispose de ses propres attributs, tous capables de s'améliorer, de rester stationnaires ou de se manifester parmi les hommes. La force

160

psychique est l'une des manifestations de l'esprit de l'âme.

» Mais revenons à l'histoire sacrée. Savez-vous où furent consignées les premières lignes jamais écrites au sujet des phénomènes parapsychologiques ? Où furent écrits les premiers mots expliquant ce qu'était un phénomène parapsychologique – la division entre ce qui est réel et ce qui ne l'est pas ?

» Cela remonte à l'époque où Moïse fut envoyé en Égypte pour délivrer le peuple des élus; on lui dit de prendre avec lui son bâton de berger et – avec Aaron, son frère – de se rendre devant le Pharaon. Par son intermédiaire Dieu allait faire des miracles. Moïse alla donc au-devant du Pharaon, il laissa tomber son bâton sur le sol; celui-ci se transforma aussitôt en serpent. Les magiciens laissèrent aussi tomber leurs bâtons, qui se transformèrent également en serpents. Mais le bâton d'Aaron lui aussi métamorphosé en serpent mangea tous les autres !

» Puis commencèrent alors ce que nous appelons les plaies de l'Égypte. Aaron effleura de son bâton la surface de l'eau, qui se transforma aussitôt en sang. Les magiciens en firent de même avec leurs bâtons et, là aussi, les eaux se transformèrent en sang. Vint ensuite la plaie des grenouilles, que les magiciens parvinrent également à imiter grâce à leurs enchantements. Puis vint la plaie des poux; cette plaie fut la première que les magiciens ne purent égaler. Ils s'en retournèrent vers le Pharaon et lui dirent : "La main de Dieu est derrière ces miracles !" (Ex. 8, 18-19.)

» Il est possible de différencier les enchantements et les miracles de Dieu. Lorsque nous sommes convaincus que la main de Dieu est à l'origine du phénomène que nous voyons, il nous est possible de déterminer si ce phénomène est réellement d'origine divine ou non !

» Comment pourrait-il en être autrement ? Nous disons que toute force, que tout pouvoir, provient d'une seule source. Soit, je suis d'accord avec cela ! Mais s'il y a un abus, ou une mauvaise application de cette force de vie, le phénomène ne manque pas de se produire – même s'il est incontrôlé. C'est pourquoi il y a parmi nous des gens déficients mentaux ou handicapés physiques. Apparemment, de telles afflictions ne devraient pas faire partie du cours normal de la vie. À un moment donné, on s'est écarté des desseins du Tout-Puissant. Et la vie continue, malgré cela.

» Probablement n'y a-t-il pas de meilleure parabole que celle du bon grain et de l'ivraie qui poussent ensemble. L'ivraie ne pouvait pas être arrachée tout de suite, sous peine de détruire en même temps le bon grain. Mais le temps viendrait où le grain serait amassé et engrangé et l'ivraie ramassée pour être brûlée.

» Si l'âme est en accord avec la source de vie, les phénomènes se produisent alors par la main de Celui qui conduisait Aaron, et non par celle des magiciens. Dans les plaies d'Égypte, les magiciens ont finalement échoué. Ainsi, si des phénomènes psychiques devaient provenir d'une autre source que de la Source divine, ils finiraient eux aussi par échouer immanquablement.

» Le Christ était en accord avec la Source unique du bien. Je pense que bien d'autres l'étaient aussi, à différentes époques, lorsqu'ils firent le sacrifice de leur vie, en accord avec Lui. Ainsi, il doit être possible pour chacun de nous d'être en accord avec la Source divine unique de toute information, si nous sommes prêts à en payer le prix.

162

» Plusieurs fois, je me suis présenté comme un "sacrifice vivant", quelle que fût la source qui essayât de se manifester au travers de moi. Dans ce sens, je pense que je peux être considéré comme un médium. Mais j'espère être plutôt un canal, par lequel la grâce peut toucher d'autres personnes, au lieu d'un médium par lequel toutes sortes de forces pourraient se manifester. Car si cela vient de Dieu, cela doit être bien. Ce bien, j'en suis sûr, est le type de phénomène psychique qui se manifeste en moi. »

Cette déclaration est la manifestation d'une foi parfaite, d'une simplicité qui confine à la beauté. L'amour et la confiance que Cayce met en le Christ sont encore plus sincères, si cela se peut, dans cette déclaration qu'il fit, pour le même groupe, en 1934 :

« Dans saint Jean, 14, 1-3, Jésus dit : "Ne laisse pas ton cœur se troubler; tu crois en Dieu, crois aussi en Moi... Si je m'en vais pour te préparer une place, je reviendrai et je t'accueillerai; car là où je suis, il y a aussi de la place pour toi."

» Lorsque nous considérons l'histoire du monde telle que nous la connaissons aujourd'hui, combien de fois un grand prophète ou un grand dirigeant religieux s'est-il élevé ? Platon a dit que la cadence de nos arrivées était d'environ mille ans. À en juger par l'histoire, le temps qui s'écoule entre chaque chef religieux d'importance venu sur terre varie entre 625 et 1 200 ans.

» Vous ne manquerez alors pas de me demander : "Cela signifie-t-il que le Christ est venu aussi souvent ?"

» Non, ce n'est pas ce que je dis. Je ne sais pas combien de fois Il est venu. Cependant, si nous considérons quelques instants les passages suivants de l'Écriture, une idée intéressante en ressort : "Au commencement était le Verbe, et le Verbe était avec Dieu, et le Verbe était Dieu. Il était au commencement avec Dieu. Toutes choses ont été faites par lui et rien de ce qui a été fait n'a été fait sans lui... Le Verbe a été fait chair, il a habité parmi nous... Le Verbe était dans le monde, et le monde a été fait par Lui; mais le monde ne l'a pas connu." (Jean 1, 1-14.)

» Nombreux sont ceux qui nous disent que ce sont là choses spirituelles. Il n'appartient qu'à vous de trancher. Mais si le Verbe fut fait chair et a habité parmi nous, comment pouvons-nous être sûrs que ce ne sont pas choses matérielles, également?

» En s'adressant à ceux qui furent les juges d'Israël, le Maître dit : "Abraham, votre père, a tressailli de joie à la pensée de voir mon jour; il l'a vu et il a été rempli de joie." Puis les juifs lui dirent : "Tu n'as pas encore cinquante ans et tu as vu Abraham !" Jésus leur dit : "En vérité, en vérité, je vous le dis : avant qu'Abraham fût, j'étais." (Jean 8, 56-58.)

» Jésus dit-il cela dans un sens spirituel ou dans un sens matériel – ou les deux? Qu'en pensez-vous? Je n'en sais rien. Mais ce que l'on nous a dit, psychiquement, c'est cela : prenez-le pour ce que cela vaut et tenez-en compte dans votre propre expérience.

» Retournez maintenant au quatorzième chapitre de la Genèse et lisez le paragraphe où un certain prêtre royal, Melchisédech, qui avait apporté du pain et du vin, paya son tribut à Abraham. "Ce Melchisédech, roi de Salem, était prêtre du Dieu Très-Haut; il fit la rencontre d'Abraham, qui s'en revenait du massacre des Rois, et il le bénit... Sans père ni mère, sans descendant, ne connaissant ni le commencement des jours ni la fin de la vie, il avait été fait à l'image du Fils de Dieu; tu demeureras prêtre toute ta vie." (Hébreux, 7, 1-3.)

» Était-il le Maître, ce Melchisédech ? Je n'en sais rien. Lisez vous-mêmes. Peut-être ai-je tort de penser qu'il était le Maître, l'homme que nous avons connu plus tard comme Jésus.

» Considérez maintenant le livre de Josué. Qui allait guider Josué lorsqu'il devint le chef d'Israël ? Qui apparut pour conduire Josué, après qu'il eut traversé le Jourdain ? La Bible dit que le Fils de l'Homme vint pour conduire les armées du Seigneur. Josué rencontra donc l'homme de Dieu et tous les enfants d'Israël eurent peur de lui. (Josué 5, 13-15.)

» De ces références, nous pouvons tirer quelques conclusions et les compléter par des informations d'ordre psychique. L'Esprit du Christ s'est manifesté sur la Terre plusieurs fois avant l'arrivée de Jésus. Il se manifesta sous les traits d'un Melchisédech. À d'autres moments, il fit sentir son influence spirituelle grâce aux prophètes qui enseignaient l'adoration du Dieu Unique.

» D'autre part, en considérant les conditions qui ont rendu possible son apparition à différentes époques, on peut en déduire certains faits relatifs au retour du Messie.

» Comment se fait-il qu'il naquit en tant que Jésus de Nazareth ? Il ne restait aucune trace d'une quelconque révélation à l'homme depuis plus de quatre cents ans. Les ténèbres et la dissipation dans lesquelles vivait l'homme avaient-elles fait revenir le Christ sur la terre ? S'il en avait été ainsi, ç'aurait été un renversement des lois de la nature. Les lois de Dieu ne sont réversibles à aucun moment et on ne les trouvera jamais ainsi déformées. Elles sont immuables et restent vraies dans quelque royaume terrestre que ce soit.

» Alors, quelles circonstances provoquèrent l'arrivée de Jésus ? L'existence d'une secte composée de chercheurs sincères : un petit groupe de gens qui avaient décidé de réunir les conditions pour préparer sa venue. Qui étaient ces gens ? Ils étaient les plus haïs de tous ceux dont il est fait mention dans l'histoire profane; on y fait à peine référence dans la Bible; ce sont les esséniens, ceux que tous détestaient, les plus misérables des juifs...

» À cette époque, les esséniens consacraient leur vie à ménager un lieu de rencontre possible entre Dieu et les hommes, de façon que Jésus-Christ puisse venir sur terre. Il y eut ainsi une PRÉPARATION; si nous, nous voulons également préparer un lieu de rencontre – dans notre cœur, notre demeure, notre église –, alors pour nous aussi le Christ reviendra, et Il viendra tel qu'Il est. Son esprit est toujours là. Il demeurera avec nous, toujours.

» Nous croyons tous qu'il est descendu aux Enfers. Nous l'avons lu dans la Bible et nous disons que cela est vrai. Mais en réalité, nous avons de la peine à y croire. Si c'était le cas, nous ne trouverions jamais une âme qui ait fauté en ce bas monde – jamais ! Car si nous croyons qu'Il est descendu aux Enfers pour parler à ceux qui s'y trouvaient, comment pourrions-nous attribuer une faute quelconque à notre voisin parce qu'il a laissé ses poules venir dans notre jardin, ou parce qu'il n'a pas les mêmes croyances que nous ?

» Pour nous sauver, Il s'est fait homme. Combien de fois ? À vous de répondre. Quand va-t-Il revenir ? Lorsque nous vivrons la vie qu'Il a menée pour nous, les conditions seront alors réunies pour Lui; le Seigneur et le Messie pourront venir.

» Je ne vais pas vous laisser sans secours; je reviendrai, et je vous recevrai chez moi; car là où je suis, vous serez aussi. »

Comme on le voit, Edgar Cayce se révélait être un pratiquant tolérant et sincère à la fois, avec des antécédents orthodoxes, qui ne ressentait nullement le besoin de forcer les autres à accepter ses propres convictions... comme il n'acceptait pas que d'autres lui en imposent. Néanmoins, il serait difficile de donner une explication valable de la réincarnation telle qu'il la considérait sans comprendre son insistance à considérer le Christ comme une Divinité s'étant manifestée au travers d'une âme humaine hautement développée, nommée Jésus. De plus, cette Divinité avait dû se manifester à plusieurs reprises sur terre avant que d'être capable de préparer un corps humain suffisamment élevé au niveau spirituel pour le soutenir dans son ultime tâche de rédemption.

Mais que le lecteur se rassure : il n'existe aucune Étude dans laquelle Edgar Cayce soutienne que certaines sections de la Bible aient été rééditées avec une malice préméditée. Lorsqu'on lui demandait si tel pouvait être le cas, il ne manquait pas de répondre que l'esprit de la Bible était toujours intact et que la puissance du texte résidait dans sa force spirituelle, qu'elle n'était en aucune manière dépendante de son contexte littéral. En bref, elle représentait toujours l'assurance divine que Dieu n'allait jamais abandonner la race humaine.

D'autre part, lorsqu'il se trouvait en état d'hypnose, Edgar Cayce ne démentit pas que certains passages de la Bible avaient perdu de leur clarté originale en raison de ses traductions successives de l'hébreu en grec, en latin, puis en anglais. Un examen attentif des Études de Cayce concernant là Palestine à l'époque du Christ laisse voir que les esséniens avaient joué un bien plus grand rôle dans la conservation des anciennes écritures que l'Église hébraïque officielle.

Lorsque le Christ prêchait dans les synagogues, il n'introduisait rien de nouveau ou d'inhabituel dans ses sermons mais, de manière plus éloquente, il réactualisait ces anciens enseignements tombés en complète désuétude, ou qui avaient été réinterprétés de manière à s'adapter aux exigences politiques de l'époque.

Il peut être intéressant de relever ici que les *manuscrits de la mer Morte*, même dans la phase très prudente des balbutiements de leur déchiffrage, ont permis d'établir qu'une grande partie des enseignements du Christ se retrouvaient, sous la même forme, pour ne pas dire avec les mêmes mots, dans les écritures des esséniens, qui datent d'au moins une centaine d'années avant sa naissance.

Cela tend à prouver que le Christ était en parfait accord avec la doctrine des esséniens, bien que, du temps de son vivant, ils fussent en tel conflit avec les juifs orthodoxes qu'aucune référence à eux ne fut faite dans les Écritures hébraïques.

Malheureusement, cette secte devait compter avec sa part de rebelles qui estimaient que la fin justifiait les moyens, même si cela devait se traduire dans les faits par l'attaque des caravanes des sadducéens et des pharisiens. Ce groupe de gens se trouvait de toute évidence en opposition avec les exhortations du Christ à résister à toute forme de violence. Même les deux ou trois esséniens figurant au nombre de Ses disciples se laissèrent parfois aller au point de provoquer des incidents qui n'eurent d'autre conséquence que d'aggraver l'antagonisme qui L'opposait à Ses ennemis et à Ses détracteurs.

À cette époque, Jérusalem était occupée par les Romains exactement comme la France fut occupée il y a quelques décennies par les nazis – mais les esséniens étaient membres d'une secte qui avait vécu depuis si longtemps dans la clandestinité qu'ils ne furent quasiment pas affectés par la persécution des Romains. Néanmoins, la secte fut presque anéantie par l'armée romaine, qui agissait à l'instigation du sanhédrin, autorité juive suprême qui fut à l'origine de la crucifixion du Christ.

Pour certains, les *manuscrits de la mer Morte* tendent à établir que les croyances des esséniens étaient fermement ancrées dans les principes de la réincarnation.

De plus, ce fut la seule secte qui prédit avec exactitude l'arrivée du Christ. De même que les livres de l'Apocryphe et de l'Apocalypse étaient teintés d'un symbolisme obscur de manière à préserver la vérité qu'ils contenaient, de même la prophétie des esséniens est très claire et il y est fait référence au Christ comme à l'Homme du Bien, au Messie, au Fils de la Lumière; jamais il n'y est nommé par son vrai nom; quant aux membres du sanhédrin, ils sont appelés les prêtres pervers. Sous tous leurs autres aspects, les manuscrits sont l'exacte prédiction des événements qui allaient se passer au siècle suivant.

Cayce affirme catégoriquement que les esséniens, seule secte à être préparée pour l'arrivée du Christ sur terre, ne se contentèrent pas de l'assister au moment de sa naissance ou lors de la fuite en Égypte, mais l'éduquèrent également durant son enfance. Cayce reconnut plusieurs de ces enseignements dans le présent :

« Alors, l'entité fut élevée selon les principes de l'école de pensée qui tenta de reconstituer la première secte fondée par Élie sur le mont Carmel...

» À cause des divisions qui avaient donné naissance aux sectes des Pharisiens, des Saducéens et d'autres encore, les esséniens firent également leur apparition. Ils possédaient non seulement une importante tradition orale, mais avaient aussi conservé le souvenir de toutes sortes d'expériences supranaturelles – que ce soient des rêves, des visions ou des voix – qu'ils avaient vécues au cours de leur existence...

» Leur pouvoir se rapproche de ce que l'on appellerait aujourd'hui les prévisions astrologiques, par exemple dans leurs allusions se rattachant à la venue du Messie.

» Ainsi, le groupe que nous considérons comme les esséniens fut la résultante des enseignements de Melchisédech, propagés par Élie, Élisée et Samuel. Cette secte n'était pas d'origine égyptienne, bien que les Égyptiens l'aient assimilée à un moment donné à leur propre civilisation. Ils respectèrent aussi bien les juifs que d'autres tribus païennes... de manière à se trouver parmi ceux qui seraient en mesure d'accueillir Celui qui était d'origine divine...

» Les esséniens prirent une part importante dans l'éducation du jeune Jésus, de même que dans celle de Jean. Car Jean était davantage que Jésus un essénien. Car Jésus s'en tenait davantage à l'esprit de la loi et Jean à sa lettre. »

Grâce aux références détaillées qui figurent dans les études de Cayce à propos de Jésus, on ne manque pas d'être frappé par la véracité de ces textes. Edgar Cayce se réfère constamment à lui comme à une force vivante, immédiate, qui n'est jamais plus éloignée de l'homme que son propre coude...

Le Christ, un messager; Jésus, un homme

Si, comme le pense Cayce, le Christ s'est manifesté dans le corps de Jésus pour parfaire le développement de son âme sur terre, cela nous donnerait la preuve de la véracité de ses paroles; il disait en effet à ses disciples qu'ils étaient capables de faire toutes choses que Lui avait faites. Mais c'était évidemment impossible s'ils restaient spirituellement aussi imparfaits qu'ils l'étaient à cette époque. Cela présupposait qu'ils reviendraient plusieurs fois sur terre avant d'atteindre le stade d'illumination auquel Il était parvenu.

Sinon, nous serions amenés à croire que le Christ demandait à Ses disciples un exercice de foi quasiment surhumain, leur faisant don d'une seule chance de salut... Les portes du paradis ne s'ouvriraient qui si nous ne péchions plus. Est-il concevable qu'Il eût pu être aussi perfectionniste et irréaliste ? Tous Ses autres enseignements sont au contraire empreints de réalisme et de sens pratique.

Cayce trouva bien plus conforme qu'Il définisse la rédemption possible de l'âme comme un long et pénible sentier, plutôt que comme une « apothéose instantanée ». Ainsi, la réincarnation apprend à celui qui doute à ne pas désespérer. Elle lui enseigne que sa libre volonté peut servir ses propres intérêts comme aller à leur encontre. On lui montre le chemin – après cela, c'est à lui de décider. Il doit se lever tout seul et marcher; et ne pas espérer atteindre un pseudo-paradis.

On lui apprend aussi que si un innocent prend une « juste » revanche sur un ennemi, il va lui-même s'enchaîner à cet ennemi, sans aucun profit pour lui ; tous deux se retrouveront pour poursuivre leur lutte néfaste, jusqu'à ce que leur bon sens les pousse à enterrer les motifs de leur conflit. L'âme, par vengeance, peut donc retarder sa propre progression spirituelle.

Si, par contre, la victime est capable de « tendre l'autre joue », elle se libère de tout engagement ultérieur vis-à-vis de son ennemi. Le poids du fardeau se retrouve alors entièrement sur les épaules de son ennemi, qui doit s'en retourner seul, le moment venu, et réparer les dommages qu'il a causés.

Qui n'a jamais péché ?

Pourquoi le Christ n'a-t-Il fait aucune distinction entre les pharisiens et les prostituées, entre les publicains et les disciples sérieux ? Certainement parce que leur condition sociale n'était qu'éphémère à Ses yeux. Seul le bien-être de leur âme Le concernait. Tel était l'objet de Sa lutte sur terre.

Que dit le Christ, lorsqu'Il nous ordonne d'aimer notre prochain, si ce n'est : « Ne soyez pas idiots au point de le haïr et de vous encombrer du poids mort d'un autre ennemi ! ».

Le Christ n'a jamais été plus tolérant et indulgent qu'avec la femme adultère. Là, réellement, Il mit en pratique la loi de l'amour d'une manière que bien peu d'Églises, se réclamant de Son nom, appliquent. Et pourtant, Il a dit : « Comme tu jugeras, tu seras jugé ! » Il avertissait ainsi les hommes impitoyables du risque qu'ils couraient, dans leurs vies ultérieures, de se voir pris en flagrant délit.

Ils connaîtraient à leur tour l'horreur de la persécution et de l'hypocrisie, les deux pires cancers
de l'âme.

La parabole de l'enfant prodigue replace Dieu
dans la perspective de l'Ancien Testament, au
moment où les tribus nomades utilisèrent comme
une arme la vengeance de Jéhovah pour empêcher
leurs guerriers en mal de violence d'exterminer les
membres de leur propre tribu.

Ainsi donc, la parabole de l'enfant prodigue prend
toute la valeur de sa dimension universelle au
moment où Dieu devient le Père qui pardonne et
où le Fils devient l'âme errante sur la terre, effrayée
à l'idée de retourner dans un tel état auprès de
son père.

Le décret chalcédonien de 451, qui sépare le
Christ en deux natures distinctes, humaine et
divine, a été confirmé par Edgar Cayce :

« Le Christ n'est pas un homme ! Jésus était un
homme ! Le Christ était un messager !... Le Christ
est de tous les âges, Jésus d'un seulement ! »

À moins qu'Il ne se préparât à retourner auprès
de Ses disciples dans un corps purifié, forme qu'ils
prendraient eux-mêmes un jour, au moment de
rejoindre leur Père, pourquoi le Christ, sur la croix,
se serait-Il retiré de sa forme mortelle assez longtemps pour que Jésus L'interpelle avec effarement :
« Élie, Élie, pourquoi m'as-tu abandonné ? » C'est
parfaitement contraire à tous les enseignements
du Christ que d'avoir laissé planer de pareils doutes
et d'avoir interpellé Dieu de cette façon. Cela aurait
pu troubler et démoraliser ceux de Ses disciples
qui, jusqu'à cet instant, avaient une foi absolue en
Lui.

L'intention logique du Christ en Se soumettant
à la crucifixion était de montrer qu'il était facile

de se libérer des liens de la chair, que le corps, s'il n'est plus la maison de l'âme, n'est que futilité.

C'est dans ce sens qu'Edgar Cayce jette les bases d'une théorie que l'on ne retrouve nulle part ailleurs, et qui semble la plus logique de toutes.

(Il convient de préciser ici que Cayce fait référence au corps vivant comme étant le corps matériel et au corps après la mort comme étant le corps physique.)

« Exactement comme une entité, se trouvant dans l'un des divers royaumes composant le système solaire, se pare, non d'une forme terrestre, mais d'un modèle se conformant aux éléments particuliers de cette planète ou de son espace, le Prince de la Paix est venu sur terre sous une forme humaine pour parachever Son propre développement. Il résista à la chair et à toutes les tentations. Il devint ainsi le premier à vaincre la mort du corps, ce qui Lui permit justement de le revivifier et de le faire se relever... »

Cayce affirmait que le Christ possédait déjà Sa forme immortelle lorsque Marie-Madeleine Le vit accompagné de deux anges : « Comme Il le dit à Madeleine : "Ne me touche pas, car je ne suis pas encore monté jusque chez mon Père"... Marie-Madeleine ne pouvait Le toucher avant qu'il n'y ait eu une union consciente avec la Source de tous les pouvoirs... »

Cayce procéda ensuite à l'analyse des versets dix-neuf à vingt-neuf du vingtième chapitre de saint Jean :

« Comme cela est indiqué, le corps physique (le corps de l'esprit) a pénétré dans la chambre supérieure, alors que toutes les portes étaient closes, non en passant au travers du bois, mais en se reformant à partir de l'éther qui se trouvait à l'intérieur de la pièce... "Mes enfants, avez-vous quelque chose à manger ici?" demanda-t-Il à Ses disciples, leur indiquant qu'il s'agissait bien de la régénération des atomes et des cellules de son corps... »

Il peut sembler étonnant d'accorder tant d'importance à cet épisode, vu l'attitude des Églises occidentales vis-à-vis de la réincarnation. Mais c'est justement à son sujet que se déchaînèrent les controverses les plus vives au début de l'ère chrétienne, aboutissant finalement au rejet de la notion de réincarnation par la foi occidentale.

Avant de commencer à retracer cette évolution depuis sa source jusqu'à ses effets sur l'orthodoxie actuelle, comparons l'interprétation qu'a faite des mêmes passages de la Bible le fameux ministre de l'Église anglaise, Leslie D. Weatherhead :

« Ceux qui se sont penchés sur l'étude du phénomène de la résurrection m'ont toujours semblé ne pas accorder suffisamment d'importance aux détails minutieux du suaire, dont il est fait mention dans les quatre Évangiles. Cette narration – à l'opposé d'autres parties des Évangiles – est basée sur le récit d'un témoin oculaire.

» Il est clairement établi que le suaire, qui recouvrait le corps jusqu'aux aisselles, a glissé de côté, comme si le corps s'était évaporé. On nous dit que la couronne d'épines se trouvait sur le bord de la tombe, comme si la tête aussi s'était évaporée. Si l'on consulte maintenant le vingtième chapitre du quatrième Évangile pour en lire les vingt premiers versets, on se rend compte que c'est la manière dont le suaire était placé qui convainquit Pierre et Jean que le Christ avait disposé de son corps physique d'une manière inexplicable, se rapprochant d'un phénomène d'"évaporation" ou d'"évanescence". »

L'interprétation d'un clairvoyant et celle d'un des piliers du méthodisme anglican orthodoxe devraient être totalement différentes; cependant, nulle part ailleurs la philosophie religieuse d'Edgar Cayce ne se trouve mieux corroborée que par la prose claire et nette de Leslie D. Weatherhead.

Le christianisme de Constantin

Dans son ouvrage *Psychologie, religion et guérison* paru chez Abingdon Press (*Psychology, Religion and Healing*), le Rd Weatherhead fait la constatation suivante : « La conversion au christianisme de l'empereur romain Constantin, en 325 après Jésus-Christ, fut loin de servir la cause du Christ. Il eut beau avoir vu une croix dans le ciel, autour de laquelle s'étaient inscrits les mots *In hoc signo vinces* ("Ce signe te fera vaincre"), il contribua à établir un christianisme qui se passa fort bien de cette croix et aurait tout aussi bien pu utiliser n'importe quel autre symbole.

» Le Nom au-dessus de chaque nom s'est inscrit sur les fronts pâles des jeunes chevaliers du Christ, morts pour Lui au Ier siècle de notre ère, et qui s'en étaient allés annoncer la bonne nouvelle de l'Évangile au monde moqueur et indifférent. Ce temps était passé. Mais la "conversion" de Constantin fut un désastre...

» Le christianisme devint, en fait, une façade de bonne conscience sans aucun pouvoir ni beauté. Tous/ les sujets de la cour étaient chrétiens. Les sycophantes qui passaient leurs journées à ricaner, vautrés dans la luxure de la cour romaine, les parasites doucereux et rusés qui vivaient de son énergie et de sa puissance furent tous "convertis" en une nuit...

» Le paganisme gardait toute sa force, mais dorénavant, on allait l'appeler christianisme. La religion du Christ ne s'en est jamais remise, excepté pour de brèves périodes de rémission, et, sans l'existence de quelques saints, elle n'aurait certainement pas survécu. »

Voltaire

Si nous nous tournons maintenant vers le génial Voltaire (1694-1778), l'un des plus grands penseurs de l'histoire aussi bien qu'un des pères fondateurs de la démocratie, on remarque que les quelques extraits de son *Dictionnaire philosophique* que nous reproduisons ci-dessous anticipaient les arguments de Leslie D. Weatherhead avec une acuité admirable.

« À la fin du Ier siècle, il existait déjà quelque trente Évangiles, chacun appartenant à une société différente, et une trentaine de sectes chrétiennes avaient vu le jour en Asie Mineure, en Syrie, à Alexandrie et même à Rome, affirmait Voltaire. Des mercenaires fanatiques encensèrent le "barbare et efféminé" Constantin et considérèrent le sage et juste empereur Julien comme un mécréant. Par la suite, les chroniqueurs les approuvèrent en perpétuant leurs opinions. Finalement, après 1 400 ans, on entreprit une critique fondamentale de cette interprétation, des hommes plus éclairés révisèrent le jugement des ignorants.

» Constantin fut considéré comme un opportuniste qui se moqua de Dieu et des hommes. Voici comment il raisonnait : "Le baptême purifie tout. De cette façon, je peux tuer ma femme, mon fils et tous mes parents. Après cela, je n'ai qu'à me faire baptiser pour gagner ma place au paradis." Et il agit en fonction de ces principes. Mais Constantin était chrétien et il fut canonisé... »

Le concile de Nicée (325 après Jésus-Christ)

Un courant de pensée affirme que la réincarnation a été condamnée lors du concile de Nicée; si c'est le cas, l'analyse de Voltaire mérite d'être mentionnée :

« Alexandre, évêque d'Alexandrie, considérait que Dieu était nécessairement unique et indivisible – qu'il était une monade (une unité simple) dans le sens le plus strict du terme et que cette monade était triple (trois en une). Cette théorie scandalisa le prêtre Arius, qui ne manqua pas de la dénoncer. Alexandre convoqua alors rapidement ses sympathisants à un concile extraordinaire et fit excommunier le prêtre...

» L'empereur Constantin fut assez misérable pour déléguer le vénérable évêque Osius, muni de lettres de conciliation pour les deux factions opposées; Osius fut accueilli avec une méfiance justifiée, et le concile de Nicée se réunit.

» La question à étudier était la suivante : Jésus est-Il le Verbe ? S'Il est le Verbe, émanait-Il de Dieu ? S'Il émanait de Dieu, était-Il comme Lui éternel et consubstantiel avec Lui ? Ou était-Il de la même substance que Lui ? A-t-Il été créé ou engendré ? Et comment cela se fait-il que, s'Il est exactement de la même nature et de la même essence que le Père et le Fils, Il ne puisse faire les mêmes choses que ces deux êtres qui sont Lui-même ?

» Je ne puis comprendre cela. Personne ne l'a jamais compris. Et c'est pour cette raison que tant de gens ont été massacrés.

» Le concile de Nicée décida finalement que le Fils était aussi âgé que le Père et consubstantiel avec le Père... et la guerre fit rage dans tout l'Empire romain. Cette guerre civile en engendra d'autres et, au travers des siècles jusqu'à nos jours, les persécutions se sont poursuivies...

» Pourtant Jésus n'enseigna aucun dogme métaphysique. Il n'écrivit aucun traité de théologie. Jamais Il ne dit : "Je suis consubstantiel; j'ai deux volontés et deux natures pour une seule personne." Aux Cordeliers et aux Jacobins, qui devaient apparaître 1 200 ans après Lui, Il laissa la tâche délicate et ardue de décider si Sa mère avait été conçue dans le péché originel.

» Les sociniens, ou unitairiens, appellent cette acceptation de la doctrine du péché originel le péché originel de la chrétienté. C'est un outrage envers Dieu, affirment-ils...

» Les sociniens accordent beaucoup d'importance à la foi des premiers "hérétiques" qui moururent à cause des Évangiles apocryphes et refusent pour cela de considérer les quatre Évangiles comme autre chose que des œuvres clandestines.

» Oser dire qu'Il créa les générations successives de l'humanité dans le but de les assujettir à une punition éternelle, sous le seul prétexte que le premier de leurs ancêtres avait péché, reviendrait à L'accuser de la barbarie la plus absurde.

» Cette accusation sacrilège est encore plus inexcusable de la part des chrétiens, dans la mesure où il n'est fait mention du péché originel ni dans le Pentateuque, ni dans les Évangiles, ni même dans aucun des écrits de ceux que l'on a appelés les Premiers Pères de l'Église.

» Soit les âmes sont de toute éternité (et sont donc infiniment plus anciennes que le péché d'Adam et n'ont aucune relation avec lui), soit elles ont été formées au moment de la conception. Auquel cas Dieu doit créer, dans chaque cas, un nouvel esprit qu'Il rend ensuite éternellement misérable. Dieu est alors Lui-même l'âme de l'humanité et Se damne avec Son propre système... »

Finalement, Voltaire touche au cœur du problème :

« Aucun des premiers Pères de l'Église n'a fait mention d'un seul passage des quatre Évangiles tels que nous les acceptons aujourd'hui.

» Non seulement ils manquèrent de citer les quatre Évangiles, mais ils adhérèrent à certains passages que l'on ne retrouve maintenant que dans les Évangiles apocryphes, rejetés par le droit canon.

» Puisque de nombreux Évangiles erronés furent tout d'abord considérés comme véridiques, ceux qui sont aujourd'hui à la base de notre propre foi peuvent tout aussi bien avoir été falsifiés. »

Origène

Cela nous mène logiquement aux enseignements d'Origène (185-254 après Jésus-Christ), autour desquels toute la controverse allait maintenant se centrer.

Les enseignements d'Origène furent d'une importance capitale pour la préservation des Évangiles originaux. À ce sujet, il fut aussi prolifique que Voltaire mais, à en croire l'*Encyclopædia Britan-*

nica, une dizaine de livres de *Stromata*, son œuvre la plus provocante, auraient disparu sans laisser de trace. Cela est significatif, dans la mesure où Origène s'y attachait à relier les enseignements bien établis du christianisme et les dogmes « chrétiens » de Platon, d'Aristote, de Numénius et de Corrutus. Il consacra sa vie entière à la préservation des Évangiles originaux.

« Ce n'était pas tant la relation entre la foi et la connaissance qui offensait, mais plutôt des propositions isolées telles que sa doctrine de la préexistence des âmes... Origène expliquait la méchanceté des hommes en recourant à l'hypothèse théologique de la préexistence de chaque âme et de sa déchéance antérieure à l'existence du monde. »

Origène affirme dans *Contra Celsum* : « N'est-il pas plus conforme à la raison de penser que chaque âme, pour quelque motif mystérieux (je parle maintenant en fonction de l'avis de Pythagore et de Platon, ainsi que d'Empédocle que Celsius cite souvent), est introduite dans un corps en fonction de ses mérites et de ses actes antérieurs ? N'est-il pas rationnel de penser que les âmes qui ont usé de leur corps pour faire le plus de bien possible ont par la suite droit à des corps bénéficiant de qualités supérieures à celles d'autres ?

» L'âme, dont la nature est immatérielle et invisible, n'existe en aucun lieu matériel sans disposer d'un corps adapté à la nature de cet endroit. De la même manière, elle se débarrasse d'un corps à la fois – un corps qui lui était nécessaire auparavant, mais qui ne correspond plus à rien lorsqu'elle change d'état – et l'échange pour un deuxième, plus approprié. »

Et, dans son *De principiis* : « Chaque âme vient dans ce monde renforcée par les victoires ou affaiblie par les défaites de ses vies précédentes. Sa place dans ce monde, celle de quelqu'un qu'on honorera ou qu'on méprisera, est déterminée par ses mérites et ses démérites antérieurs. Son action dans ce monde détermine de la même façon sa place dans le monde qui suivra celui-ci. »

Pythagore et Platon

De quelle manière les philosophies « païennes » de Pythagore et de Platon constituèrent-elles un complément aux croyances des Pères des premiers chrétiens ? Avant de répondre à cette question, il convient de préciser que les deux philosophes grecs souscrivaient tous deux à la théorie de la réincarnation.

Sur ce sujet, on ne trouve l'avis de Pythagore (v.570-v.480 avant Jésus-Christ) que dans les biographies que lui ont consacrées Diogène Laërce et Iamblichus; à en croire le premier, Pythagore aurait affirmé avoir reçu « le souvenir de toutes ses transmigrations comme un cadeau de Mercure, en même temps que le don de se rappeler ce que son âme, de même que celle des autres, avait vécu entre le moment de sa mort et celui de sa renaissance ».

De Platon (427-347 avant Jésus-Christ), il est possible d'avoir un témoignage direct : « L'âme est plus ancienne que le corps. Les âmes renaissent continuellement dans cette vie.

» L'âme du vrai philosophe s'abstient autant que possible des plaisirs et des désirs, des douleurs comme des craintes... mais comme elle se forge les mêmes opinions que le corps, qu'elle apprécie les plaisirs terrestres, elle ne peut jamais parvenir sous une forme pure dans le domaine des idées;

elle s'en éloigne toujours, polluée qu'elle est par le corps; elle se retrouve ainsi rapidement dans un autre corps et est de la sorte privée de toute association possible avec ce qui est divin, pur et uniforme.

» Sache que plus tu deviens mauvais, plus tu iras à la rencontre des âmes mauvaises et que, si tu t'améliores, tu iras vers des âmes meilleures; dans la succession de chaque vie et de chaque mort, tu vivras ce que tu auras mérité. »

Il faut également relever le fait que saint Jérôme (v.347-v.420 après Jésus-Christ) considéra hâtivement Origène comme « le plus grand maître de l'Église depuis les apôtres ». Cela paraît peu probable si le Nouveau Testament était alors déjà aussi ambigu à propos de la réincarnation qu'il ne l'est actuellement. Origène a certainement du mérite de par sa position parmi les premiers Pères de l'Église pendant presque quatre siècles, mais sa doctrine reposait seulement sur les bases solides de ce que l'on prenait à l'époque pour les vrais Évangiles.

Saint Clément d'Alexandrie (150-220 après Jésus-Christ) dans son *Exhortation aux païens* est aussi très clairement influencé par Platon : « Nous étions des êtres bien avant la création du monde; nous existions dans le projet de Dieu, car c'est notre destinée que de vivre en Lui; nous sommes les créatures raisonnables du Verbe divin. Pour cette raison, nous existons depuis le commencement, car au commencement était le Verbe... Ce n'est pas la première fois qu'Il fait preuve de pitié face à nos égarements. Il a eu pitié de nous dès le commencement. »

Aux considérations de saint Jérôme et de saint Clément sur Platon, il convient d'ajouter celles de saint Grégoire (257-332), qui affirmait qu'« il est absolument nécessaire pour l'âme d'être guérie et purifiée; si cela ne peut s'accomplir durant la vie terrestre, cela doit alors se faire à l'occasion de vies ultérieures ».

Quant à saint Augustin (354-430), il considérait Platon avec une telle admiration qu'il écrivit dans *Contra academicos* : « Le message de Platon, le plus pur et le plus lumineux de toute philosophie, a finalement dissipé les brumes de l'erreur et continue de briller dans les textes de Plotinus, un platonicien à ce point semblable à son maître qu'on pourrait penser qu'ils avaient vécu ensemble, ou plutôt – puisqu'un tel laps de temps les sépare – que Platon s'est réincarné sous les traits de Plotin. »

Pour fermer la boucle, Plotin (205-270) fut, avec Origène, un disciple d'Ammonius, qui fonda la fameuse École de néoplatonisme d'Alexandrie, en 193 après Jésus-Christ, en Égypte.

Plotinus, dans *La Descendance de l'âme*, est peut-être le plus précis et le plus expressif de tous lorsqu'il dit : « Ainsi l'âme, bien que d'essence divine, tirant son origine des sphères les plus élevées, se retrouve dans le sombre réceptacle du corps; étant naturellement une sorte de divinité postdiluvienne, elle descend sur terre par l'effet d'une certaine inclination volontaire, par amour du pouvoir et pour d'autres motifs plus vils...

» Pourtant, nos âmes sont capables, par moments, de se relever et de se sortir de cette situation, emportant avec elles l'expérience de ce qu'elles ont vécu et souffert lors de leur déchéance; de là, elles apprendront combien il est réjouissant de vivre dans le monde de l'intelligible et, par contraste, elles percevront mieux l'excellence d'un état supérieur.

» Car l'expérience du mal procure une meilleure

connaissance du bien... Ce n'est pas la totalité de notre âme qui pénètre dans le corps; quelque chose lui appartenant demeurera toujours dans le monde de l'intelligible, quelque chose de différent de notre monde sensible; et ce que nous subissons dans ce monde des sens ne nous permet pas de percevoir ce que la partie suprême de notre âme est en mesure de contempler. »

Nous avons ici les témoignages de quatre saints qui vécurent les balbutiements de l'Église. Il est impensable qu'ils aient pu TOUS perdre la raison pour accorder tant de crédit à des croyances qui étaient en contradiction avec les principes de leur propre Église. Le fait qu'ils aient adhéré sans restriction aux dogmes « chrétiens » de Platon indique clairement leur conviction que le Christ lui-même avait repris certains de ces dogmes dans sa philosophie.

À quel moment exact ces versions originales des Évangiles furent-elles réinterprétées de manière aussi drastique ? Dans tout le matériel de recherche dont nous disposons, aucune information ne permet de trancher avec exactitude et il ne semble pas possible de donner de réponse définitive; seule l'*Encyclopédie catholique* suggère indirectement une information précise.

10

La Bible condamne-t-elle
la réincarnation ?

« J'ai trouvé des allusions à la réincarnation dans la Bible – et vous aussi vous pouvez les trouver », dit un jour Edgar Cayce, avec son habituel sens de l'humour à froid. Bien qu'il ait lu la Bible de nombreuses fois, sa première réaction à Dayton fut de la lire entièrement, d'une seule traite, pour voir si elle condamnait explicitement la réincarnation. Ce ne fut pas le cas. Nulle part non plus elle ne prenait pour son compte cette théorie. Toutefois, dans les Proverbes (8, 22-31), il trouva une référence étrange à propos de la Création :

« L'Éternel m'avait auprès de lui quand il commença son œuvre, avant même ses créations les plus anciennes.

» J'ai été formée dès l'éternité, dès le commencement, dès le début de la terre.

» J'ai été engendrée lorsqu'il n'y avait point encore d'abîmes... quand il disposait les cieux, j'étais là.

» Quand il posait les fondements de la terre, j'étais auprès de lui, son ouvrière. J'étais ses délices, tous les jours. Et sans cesse je me réjouissais en sa présence. Je me réjouissais sur la terre, sa création. Et je faisais mes délices des enfants des hommes. »

Sommes-nous contraints de considérer cette ' prose comme l'imagerie abstraite de quelque obscur poète ? Ou oserons-nous demander qui était ce « je » ? De toute évidence, il ne s'agissait pas d'une créature mortelle. Si l'on admet que le « je » puisse être une âme humaine, se rappelant sa propre origine grâce à sa mémoire subconsciente, chaque ligne prend alors toute sa valeur. Sa nostalgie pour le bonheur encore pur de son commencement, sa passion pour le Dieu rejeté, tout cela laisse parfaitement transparaître le désenchantement lassé de l'âme qui se retrouve dans le cycle de ses vies matérielles sur terre, qui a coupé elle-même les liens qui l'unissaient à son Père, comme l'avait fait l'enfant prodigue.

Cela ne correspond pas à la sévère « prédestination et au péché originel » de l'humanoïde malchanceux de Calvin, damné avant même son premier souffle, destiné à brûler dans les flammes éternelles avant même d'avoir quitté le sein maternel. Ce n'est pas le désespoir du damné; ce n'est que le cri de la brebis égarée.

Comment faut-il dès lors interpréter ce passage de Salomon : « Maintenant, j'étais par nature un bon enfant, et une bonne âme s'empara de mon destin. Bien plus encore, étant bon, je me retrouvai dans un corps immaculé. »

La version du roi Jacques prend cette liberté : « J'étais un enfant sarcastique, avec un esprit vif. En vérité, plutôt bon, je me retrouvai dans un corps immaculé », modifiant ainsi le sens du passage. Mais dans les deux versions, qui demeure l'arbitre du bien et du mal ? De toute évidence, l'âme elle-même, utilisant comme mesure le modèle de sa propre conduite antérieure. Et assurément le « bien » n'a aucun sens sans le « mal ».

Que les âmes aient été à la fois bonnes et mauvaises lors des différentes étapes de leurs manifestations sur terre est à nouveau implicite dans les Romains (9, 11-14) : « En effet, lorsque les enfants n'étaient pas encore nés et qu'ils n'avaient fait ni bien ni mal... il fut dit à leur mère (Rebecca) : "L'aîné sera assujetti au plus jeune" – conformément à ce qui est écrit : "J'ai aimé Jacob et j'ai haï Esaü !" Que dirons-nous donc ? Y a-t-il en Dieu de l'injustice ? Dieu se l'interdirait ! »

Si Dieu n'est pas injuste, pourquoi fait-il preuve de tant de préjugés en aimant Jacob sans raison et en haïssant Esaü sans raison ? Comment tous deux, avant leur création, auraient-ils pu choisir des natures à ce point divergentes ? S'ils étaient allés directement du Créateur aux entrailles de leur mère, où donc Esaü aurait-il bien pu commettre ses crimes, si ce n'est au paradis ? Et si ç'avait été le cas, pourquoi n'aurait-il pas été rejeté avec les autres anges déchus et envoyé directement en enfer ? Il est bien plus probable qu'il ait appris le péché sur terre, dans un corps mortel, et son retour en tant que serviteur de son jeune frère était une action de rémission.

« Même d'éternité en éternité, tu es Dieu, dit le quatre-vingt-dixième psaume. Tu réduis l'homme en poussière et tu dis : "Fils d'Adam, retournez à la terre !"... Tu les emportes, ils sont comme un songe; ils sont comme une herbe qui naît le matin : elle fleurit le matin et elle pousse; le soir, on la coupe et elle sèche. » Ici, on se trouve confronté à l'ambiguïté du mot « réduis »; il s'agirait plutôt de lire : « Tu as manqué de détourner l'homme de la poussière qu'il était. » Mais même ainsi, le concept de paradis définit un état éternel de perfection statique. Si : « Fils d'Adam, retournez à la terre ! » signifie « retournez au paradis », alors les transpositions du déluge (tu les emportes avec le déluge...) au songe et à l'herbe naissante ne sont pas qu'une mauvaise figure de rhétorique, mais bien trois niveaux de vie différents. Considérons le déluge comme signifiant littéralement la mort par noyade, le songe comme symbole d'une période transitoire entre la mort et la résurrection au paradis, et l'herbe naissante comme symbole d'une vie paradisiaque où tout serait parfait et immuable. D'un autre côté, le cycle des saisons, sur terre, change. Chaque printemps, l'herbe pousse pour mourir à nouveau chaque hiver; l'âme qui se réincarne suit le même cycle.

On retrouve cette même suggestion dans Job 1, 20-21 : « Alors Job se leva : il déchira son manteau et rasa sa tête, puis il se jeta à terre et se prosterna pour dire : "Nu je suis sorti du sein de ma mère et nu j'y retournerai !" »

De toute évidence, Job ne fait pas référence à sa mère en tant qu'être matériel. Il est ici lui-même un symbole désignant l'âme. Cette parabole encourage l'homme à ne jamais désespérer, même lorsque tout semble perdu, et la portée symbolique du sein de la mère est évidente. L'âme ne peut en aucun cas s'engager dans sa prochaine vie terrestre sans tout d'abord « retourner nue dans le sein ».

Quelle est la récompense pour l'âme, au moment où elle termine son cycle terrestre et où elle peut s'en revenir, tel l'enfant prodigue, auprès du Père qu'elle avait rejeté et qu'elle a finalement choisi de glorifier ? « Celui qui vaincra, je ferai de lui un pilier du Temple du Seigneur, et il n'en sortira plus. » (Apocalypse 3, 12.)

Dans Malachie 4, 5, on trouve l'exemple le plus édifiant : « Je vais vous envoyer Élie, le prophète, avant que vienne le grand et redoutable jour de l'Éternel », disait Malachie au Ve siècle avant Jésus-Christ.

Cinq cents ans plus tard, à en croire Mathieu 16, 13, « Arrivé dans le territoire de Césarée de Philippe, Jésus interrogea ses disciples en disant : "Qui est le Fils de l'homme, aux dires des gens ?" Ils lui répondirent : "Les uns disent Jean-Baptiste; les autres, Élie; d'autres Jérémie, ou l'un des prophètes." » Et de continuer au chapitre 17, verset 10 : « Et ses disciples l'interrogèrent, en disant : "Pourquoi donc les scribes disent-ils qu'il faut qu'Élie vienne le premier ?"

» Jésus leur répondit : "Il est vrai qu'Élie doit venir et rétablir toutes choses. Mais je vous dis qu'Élie est déjà venu et ils ne l'ont pas reconnu; et ils le traitèrent comme ils le voulurent. C'est ainsi qu'à son tour le Fils de l'homme doit souffrir par eux." Alors les disciples comprirent qu'il leur parlait de Jean-Baptiste. »

Quel processus de pensée logique a permis aux disciples de tirer des conclusions si rapides ? À moins que Jésus lui-même ne les ait rendus attentifs aux lois de la réincarnation ? Jean-Baptiste avait été décapité par Hérode, du temps de leur propre vie, et Élie était mort depuis cinq cents ans.

Le principe de la réincarnation de l'âme devait être familier à Hérode également, car, dans Luc 9, 7-9, il est dit : « Cependant Hérode le tétrarque apprit tout ce qui se passait, et il ne savait que penser parce que les uns disaient : "Jean est ressuscité des morts"; d'autres : "Élie est apparu !"; d'autres : "Un des anciens prophètes est ressuscité." Mais Hérode disait : "J'ai fait décapiter Jean; qui donc est celui-ci, au sujet duquel j'entends dire de telles choses ?" Et il cherchait à le voir. »

La curiosité d'un monarque orthodoxe aurait été à peine excitée. Il aurait écarté de sa cour tous les superstitieux qui entretenaient de telles rumeurs et n'aurait pas plus attaché d'importance à Jésus.

À la lumière de ce qui précède, que penser de ce passage de Jean 9, 1-3 ? « Jésus, en passant, vit un homme aveugle de naissance. Et ses disciples lui demandèrent : "Maître, qui a péché, cet homme ou ses parents, pour qu'il soit né aveugle ?" Jésus répondit : "Ce n'est parce que lui ou ses parents ont péché qu'il est ainsi, mais c'est afin que les œuvres de Dieu soient manifestées en lui." »

Si la théorie de la réincarnation avait été totalement niée, la réponse de Jésus aurait été de rejeter cette question. Il est évident qu'un nouveau-né est incapable de commettre aucun péché; si le péché avait été la cause de la cécité, la question se serait alors posée en d'autres termes : « Maître, est-ce là le péché du père qui se reporte sur l'enfant, ou les parents sont-ils innocents du péché ? » Pour toutes choses, Jésus était miséricordieux. Jamais il n'aurait suggéré que son Père soit capable d'affliger de cécité un enfant sans défense uniquement pour « que les œuvres de Dieu soient manifestées en lui ». Mais si l'âme qui se trouvait dans le corps de cet enfant avait choisi volontairement d'être aveugle, pour progresser plus sûrement sur la voie de la patience et de la compréhension, alors les œuvres de Dieu se seraient certainement manifestées au travers de lui.

Interprétée du point de vue du karma, la doctrine restrictive de Jésus du « ce que tu sèmes, tu le récoltes » est parfaitement sensée. Détachée de son lien fondamental avec le principe de la réincarnation, elle devient moins crédible. Bien peu nombreux sont ceux qui peuvent récolter ce qu'ils ont semé au cours d'une même vie.

Les disciples étaient de simples pêcheurs et des hommes de la terre; les paroles de Jésus sont différentes s'il s'adresse à un homme du monde bien éduqué, comme Nicodème.

Les passages suivants de Jean 3, 3-14 sont généralement interprétés comme étant les arguments pour et contre le baptême; mais le texte lui-même ne le laisse pas supposer et l'on ne peut que difficilement imaginer Jésus s'abaissant à une discussion aussi futile avec un membre important du sanhédrin. Ces passages prennent bien plus de sens si l'on suppose que Jésus réprimande un homme qui devrait être capable d'interpréter ses paroles symboliquement et non littéralement.

Il semble prescrire la solution du baptême pour dissiper la confusion dans laquelle se trouve Nicodème. Jugez-en par cette déclaration : « En vérité, en vérité, je te le dis, à moins de naître de nouveau, personne ne peut entrer dans le Royaume de Dieu. » Nicodème s'étonna : « Mais comment peut-on naître quand on est vieux ? Peut-on rentrer dans le sein de sa mère et naître une seconde fois ? » Jésus répondit : « En vérité, en vérité, je te le dis, à moins de naître d'eau et d'Esprit, personne ne peut entrer dans le Royaume de Dieu. Ce qui est né de la chair est chair et ce qui est né de l'Esprit est esprit. Ne t'étonne pas de ce que je t'ai dit : il faut que vous naissiez de nouveau. Le vent souffle où il veut et tu en entends le bruit; mais tu ne sais ni d'où il vient ni où il va. Il en est de même de tout homme qui est né de l'Esprit. »

Nicodème reprit : « Comment cela peut-il se faire ? » Jésus lui répondit : « Toi qui enseignes à Israël, tu ne sais pas cela ? En vérité, en vérité, je te le déclare, nous disons ce que nous savons et nous attestons ce que nous avons vu; et vous ne recevez pas notre témoignage. Si vous ne croyez pas quand je vous parle des choses terrestres, comment croirez-vous quand je vous parlerai des choses célestes ? Personne n'est monté au ciel, sinon celui qui est descendu du ciel, le Fils de l'homme, qui est dans le ciel. »

Si l'on passe maintenant au chapitre 8, verset 34 du même Évangile, on trouve Jésus discutant dans le temple avec les juifs orthodoxes; il fait alors si peu de cas de leurs préjugés qu'il manque d'être lapidé. Si l'on suppose toujours que la discussion était encore axée sur la manière de procéder à un baptême, il est difficile de comprendre pourquoi Jésus se permit de gaspiller tant de patience et d'énergie pour quelque chose d'aussi trivial. Cependant, si l'enjeu de la discussion était le rejet du principe de la réincarnation, les paroles qu'il prononça et la tempête qu'elles soulevèrent se placent dans une perspective beaucoup plus logique.

« En vérité, en vérité, je vous le déclare, quiconque commet le péché est esclave du péché. Or, l'esclave ne demeure pas pour toujours dans la maison; mais le fils y demeure pour toujours. Si donc le Fils vous affranchit, vous serez réellement libres... Je dis ce que j'ai vu auprès de mon Père et vous, vous faites ce que vous avez appris de votre père. »

Ils lui répondirent : « Notre père à nous, c'est Abraham ! » Jésus leur dit : « Si vous étiez les enfants d'Abraham, vous accompliriez les œuvres d'Abraham. Mais maintenant, vous cherchez à me faire mourir... Abraham n'a pas fait cela !... Abraham, votre père, a tressailli de joie à la pensée de voir mon jour; il l'a vu et a été rempli de joie. »

Les juifs lui dirent : « Tu n'as pas encore 50 ans et tu as vu Abraham ? » Jésus leur répondit : « En vérité, en vérité, je vous le déclare, avant qu'Abraham fût, j'étais. »

Pourquoi ces allusions à la réincarnation sont-elles si isolées et fragmentaires dans la Bible ? Est-il possible que celles qui subsistent aient été oubliées accidentellement au moment de la révision des textes à partir des versions grecque et hébraïque originales ?

Mais il est sûr qu'Edgar Cayce découvrit que la théorie de la réincarnation n'allait en aucun cas à l'encontre de l'Écriture sainte. Celle-ci lui permit même de corroborer certains de ses arguments.

Sans aucun doute, cela ajoute de la valeur à cet avertissement : « Celui qui a tué par l'épée doit mourir par l'épée et celui qui a conduit en captivité doit être conduit en captivité. » (Apocalypse 13, 10.)

« On te fera alors comme tu as fait toi-même, tes actes retomberont sur ta tête. » (Abdias 1, 15.)

Mais l'avertissement le plus clair de tous, pour ceux qui pourraient être tentés de s'éloigner de la juste interprétation des Évangiles dans un but exclusivement égoïste, est certainement celui donné par Jésus dans Luc 11, 52 : « Malheur à vous, docteurs de la loi! parce que ayant pris la clé de la science, vous n'êtes point entrés vous-mêmes, et ceux qui voulaient entrer, vous les en avez empêché ! »

Dans l'Évangile copte récemment découvert, et

selon saint Thomas, cet avertissement concerne directement l'Église : « Les pharisiens et les scribes avaient reçu les clés de la connaissance et les avaient cachées. Ils n'entrèrent pas et ne laissèrent point entrer ceux qui le désiraient. »

11

Pourquoi la réincarnation ne figure-t-elle pas dans la Bible ?

L'histoire secrète de la réincarnation

Nos versions orthodoxes de l'Ancien et du Nouveau Testament ne remontent pas plus loin qu'au VIᵉ siècle, à l'époque où l'empereur Justinien, en 553 après Jésus-Christ, ordonna au 5ᵉ concile œcuménique de Constantinople de condamner les écrits d'inspiration platonicienne d'Origène. Contrairement à la croyance bien établie dans nos Églises actuelles, ce concile fut de type séculier. On interdit au pape d'y assister et on se moqua bien de la dénonciation qu'il en fit. En fait, le concile avait été organisé par des gens semblables aux barbares qui s'étaient « convertis » au christianisme sous le règne de Constantin.

Que le lecteur ne s'étonne pas de l'importance accordée à ce concile dans les pages qui suivent. Car les événements qui ont conduit à l'organisation de ce concile représentent les seules traces qui nous restent des raisons qui ont fait supprimer presque toutes les allusions à la réincarnation dans la Bible.

L'empereur de Byzance, Justinien (483-565), très tôt orphelin de père, fut élevé dans une atmosphère d'austère obscurantisme par sa mère et son oncle, l'empereur « paysan » Justin, qui l'éduquèrent pour le faire hériter du trône de Constantinople. La sévérité de son éducation fut à l'origine de son caractère excentrique et rude. Très tôt cependant, il développa une passion pour le droit et les lois, parfaitement peu commune chez un adolescent de son âge et, bien qu'il se considérât lui-même comme un homme de qualité, on pouvait facilement l'influencer en le flattant; le jugement qu'il portait sur ses semblables restait superficiel et laissait transparaître un manque de maturité certain.

Il n'excellait en fait que grâce à son instinct de la stratégie militaire. Un de ses jeunes généraux, Bélisaire, soumit les Ostrogoths d'Italie et les Vandales d'Afrique, restaurant ainsi une bonne partie de l'Empire romain tel qu'il était au moment de son apogée.

L'architecture byzantine fut florissante sous le règne de Justinien, et il s'attacha aussi à réviser complètement le droit romain de telle sorte qu'il devint par la suite la base du droit civil occidental. Au regard de tout cela, Justinien aurait logiquement dû atteindre la gloire d'un Charlemagne. Il n'y parvint pas, en partie à cause de son tempérament – un mélange incompatible de dévotion fanatique et d'ambition limitée – et en partie à cause d'une femme impitoyable qui contribua à sa déchéance.

Théodora (508-547), de souche roturière, usa de son influence pour faire disparaître toute trace de son passé douteux dans les écrits historiques de l'époque. Le seul biographe qui vécut en même temps qu'elle, Procopius, la détestait à tel point que son *Histoire secrète* est rejetée comme verbiage académique par certains et acceptée sans hésitation par d'autres.

Toutefois, les historiens s'accordent pour dire de Théodora qu'elle fut la fille d'un gardien d'ours de l'amphithéâtre de Constantinople et qu'elle fit ses débuts en tant qu'actrice alors qu'elle n'était encore qu'une enfant, à une époque où cette profession figurait parmi les plus viles. Elle s'adonna même à la prostitution et son ambition insatiable lui permit de surmonter tous les obstacles auxquels elle était confrontée.

La stratégie de Théodora était simple : créer une sorte de confusion organisée dans laquelle chaque homme se trouvait en conflit direct avec son voisin, ce qui lui permettait de les diviser pour ensuite les conquérir à sa guise. Lorsqu'elle devint la maîtresse de Justinien, elle fixa la mise encore plus haut. Elle décida qu'elle serait impératrice et, bien que la mère de Justinien s'opposât fermement à ce projet, l'empereur fut assez faible pour céder.

Là où la connaissance de ses semblables était erronée et partielle, Théodora excellait. Là où leur raison vacillait, elle était aussi inflexible que le fer.

Bien que la loi interdît formellement aux hommes d'un rang supérieur à celui de sénateur d'épouser des actrices, Justinien fit purement et simplement abolir cette loi sitôt après la mort de sa mère; Théodora prit immédiatement sa place aux côtés de l'empereur, avec qui elle partagea le trône.

Dans les annales de l'histoire, il n'est pas rare de trouver des monarques réduits à l'esclavage par une courtisane implacable; mais bien peu de courtisanes furent aussi diaboliques que Théodora.

Pour preuve cet extrait de l'*Encyclopaedia Britannica* : « Les officiels firent serment d'allégeance aussi bien à elle qu'à l'empereur. La cité était quadrillée par des espions à sa solde, qui ne manquaient pas de la tenir au courant de tout ce qui se disait contre elle ou contre l'administration. Elle s'entoura d'un cérémonial fastueux et alla même jusqu'à exiger de ceux qui l'approchaient qu'ils se prosternent d'une façon encore jamais vue, même dans une cour moyen-orientale.

» À en croire Procopius, elle donna naissance à un fils avant d'être mariée : celui-ci, une fois adulte, revint d'Arabie pour la voir, se fit reconnaître d'elle et disparut à nouveau, pour ne plus jamais revenir. »

À bien des égards, Théodora fut un tyran, à la manière des plus psychotiques des Césars.

Ses favoris furent catapultés aux postes de commande et ses ennemis moururent en si grand nombre que même l'opinion publique finit par s'en offusquer et se retourner contre le couple impérial. Confronté à la sédition Nika, en 532, Justinien, à la fois terrorisé et démoralisé, aurait bien voulu fuir; mais l'indomptable Théodora préféra la mort à l'exil. Elle le poussa dans ses derniers retranchements et les insurgés furent finalement soumis.

Après cela, Justinien ne fut rien de plus qu'une marionnette manipulée par sa femme; dorénavant, elle avait toute liberté de concentrer son énergie sur le plus redoutable de ses ennemis, l'Église de Rome.

Théodora considérait l'Église chrétienne un peu comme la Grande Pyramide d'Égypte – un monument éternel dédié à sa personne – et, pour en assurer la permanence, elle s'occupa à en reconstituer toutes les croyances; celles qui étaient alors en vigueur étaient bien trop sublimes pour servir ses desseins. Elle parvint à ses fins, l'Église de Rome ayant à peine eu le temps de se remettre de l'invasion des Ostrogoths de Théodoric, et étant sous la « protection policière » des armées d'occupation de Bélisaire.

L'unique personne ayant jamais eu une influence sur elle, Eutychès, un fidèle serviteur de l'Église d'Orient, rencontra Théodora lorsqu'elle était la maîtresse d'Hecebolus, le gouverneur de Pentapolis, en Afrique du Nord. Hecebolus la fit jeter hors de la cité. Théodora et Eutychès se rendirent tout d'abord dans la région d'Alexandrié, puis ensuite de Constantinople, elle en tant qu'une des premières sur les listes des amours profanes, lui en tant que doyen des écoles religieuses des monophysites.

La doctrine monophysite

La doctrine monophysite est la plus néfaste. Les monophysites étaient les membres de la secte qui se chargea de discréditer les allusions à la réincarnation se trouvant dans les premières versions des Évangiles et qui divisa l'Église en deux factions rivales.

Il convient de rappeler que le christianisme a vécu une série ininterrompue de schismes et de conflits qui faillit briser son unité à plusieurs reprises depuis l'an 300 environ; il dut également faire face à la résistance active des religions païennes qui avaient subsisté et qui présentaient l'avantage d'être plus attrayantes et « divertissantes ».

Les monophysites ajoutèrent encore à la confusion qui régnait en affirmant que le corps physique de Jésus était d'essence entièrement divine et qu'à aucun moment il n'avait combiné les attributs de l'homme à ceux de Dieu. (Ils ne semblaient alors pas le moins du monde embarrassés par les déclarations de Jésus lui-même, qui affirmait qu'il y avait un peu de la lumière divine dans chaque âme humaine. Ils tenaient fermement à leur conviction : conférer à Jésus la moindre parcelle humaine aurait trahi ses origines véritables.)

Malheureusement, sous l'influence d'Eutychès, Théodora se convertit à la doctrine controversée des monophysites. Ce qui l'attira le plus dans cette doctrine, c'était le rejet fondamental des enseignements d'Origène, qui avaient tant influencé les premiers Pères de l'Église. Origène ne se contentait pas de croire à la métempsycose, mais encore il affirmait que le Christ Verbe, ou la Parole, habitait le corps humain de Jésus, pour pouvoir ainsi le sanctifier.

On peut légitimement penser que Théodora, sous l'instance d'Eutychès, entraîna dans sa conversion deux de ses diacres qui lui étaient le plus dévoués, Vigile et Anthimus.

Il est difficile d'imaginer, aujourd'hui, à quel point l'antagonisme entre l'Église orientale et l'Église occidentale fut violent. Toujours est-il que les monophysites continuèrent à semer la discorde jusqu'en l'an 451, date à laquelle fut convoqué un concile extraordinaire; celui-ci, fidèle aux enseignements d'Origène, divisa le Christ en deux natures distinctes, l'une humaine, l'autre divine.

Le décret chalcédonien
(451 après Jésus-Christ)

Tout empli de bonnes intentions qu'il était, le décret chalcédonien, édicté pour préserver les enseignements d'Origène, constitua en réalité la base de départ d'une vaste campagne de dénigrement et de malentendus qui suivit de peu sa signature.

En fait, le fossé entre les monophysites et l'Église de Rome ne fit que s'accentuer et atteignit des proportions telles « qu'un des premiers actes publics de Justinien fut de contraindre le Patriarche de Constantinople à déclarer son entière adhésion à la foi de Chalcédoine ». *(Encyclopœdia Britannica.)* Cela tend à prouver de manière irréfutable que, avant l'entrée en scène de Théodora, l'empereur Justinien était en parfait accord avec la tendance origéniste de l'Église de Rome. Pourtant, en 543, à la demande pressante de Théodora, il autorisa un synode local à jeter le discrédit et à condamner les écrits d'Origène.

Un peu comme le héros d'Orwell, dans *1984*, « purifie » les articles des journaux en réécrivant l'histoire politique et en éliminant toutes les références antérieures aux « Grands Frères », Théodora a mené une campagne destinée à supprimer tous les passages de la Bible qui pouvaient réduire à néant ses espoirs d'apothéose immédiate, avant que de quitter cette vie.

Anthimus

La première manœuvre dans la stratégie de Théodora fut de soumettre et de réunifier les différentes factions de l'Église orientale jusqu'à ce qu'elles fussent entièrement sous sa domination. Défiant ouvertement le décret du concile, elle nomma son valet Anthimus Patriarche de Constantinople.

Maintenant, Anthimus n'est plus qu'un personnage de moindre importance au vu de l'histoire, mais à l'époque, sa mission allait provoquer des dommages irréparables. Théodora l'avait nommé à ce poste dans le seul but de révoquer le décret de Chalcédoine. Le rôle de Justinien, comme d'habitude dans ce genre d'histoire, consista à feindre une parfaite ignorance de tout ce qui se tramait autour de lui et, comme Pilate, à s'en laver les mains.

Le pape Agapet

Le vieux dignitaire de l'Église romaine fit le voyage de Rome à Constantinople par un mois de février glacial; une fois sur place, lorsqu'il découvrit l'énormité des intentions de Théodora, il fut le seul prélat à jamais dénoncer ses agissements en présence de l'empereur.

« Non sans empressement, dit-il à Justinien, qui ne s'était jamais senti pareillement outragé, je suis venu pour voir Justinien, le plus chrétien des empereurs. À sa place, j'ai trouvé un Dioclétien[1] dont les menaces, pourtant, ne m'effraient nullement ! »

Ce coup inattendu décoché sur la personne de l'empereur prit Justinien de court et, « étant entièrement convaincu que la foi d'Anthimus n'était pas sincère, il ne fit aucune entrave à l'action du pape, qui eut recours à son pouvoir discrétionnaire pour déposer Anthimus et le suspendre de ses fonctions; et pour la première fois dans l'histoire de l'Église, il consacra personnellement son successeur légalement élu, Mennas ». (*Encyclopédie catholique*, p. 203.)

1. Un des tyrans de l'Empire romain.

204

Malheureusement pour la destinée spirituelle de l'Europe, Agapet, le saint et l'incorruptible, mourut en cette même année 536, mais il devait laisser derrière lui un souvenir plus noble et plus honorable que tous ceux qui furent impliqués dans cette triste affaire.

Son décès, avantageux pour certains, suivit de si près son triomphe, que l'on peut soupçonner Théodora d'avoir accéléré son départ dans un monde meilleur.

Agapet mort, ce fut un jeu d'enfant que de convertir Mennas et de l'amener à condamner en bloc le diocèse d'origénisme, au nom de l'empereur.

Dès lors, Justinien se contenta d'obéir et de sanctionner toutes les purges ultérieures de Théodora, dirigées contre les disciples d'Origène.

Le pape Silvère

Il peut être judicieux de nous référer à présent à une source parfaitement indépendante, le *Vita Silveri* (*Gesta Pont. Rom.* I. 146) pour montrer jusqu'à quel point Théodora usa de son pouvoir, dans le seul but de satisfaire son orgueil :

« L'impératrice, affligée par le sort du Patriarche Anthimus, le saint pape Agapet l'ayant déposé pour motifs d'hérésie et remplacé par Mennas, envoya ce message au pape Silvère (successeur d'Agapet) à Rome : "Je vous ordonne de nous rendre visite ou, si ce n'est pas possible, de rappeler Anthimus à son poste !"

» À la lecture de cette lettre, Silvère sut que cette affaire mettrait un terme à sa vie, mais il répondit par écrit à l'impératrice : "Auguste Maîtresse, jamais je ne consentirai à faire pareille chose. Cet homme a été condamné et est considéré comme hérétique."

» L'impératrice, furieuse, fit envoyer des ordres au général Bélisaire par l'entremise du diacre Vigile : "Trouvez le moyen de faire destituer le pape Silvère, ou au moins arrangez-vous pour qu'il vienne ici. L'archidiacre Vigile, notre délégué le plus apprécié, vous aidera."

» Le général Bélisaire, conformément aux ordres reçus, fit mander des faux témoins qui devaient déclarer avoir découvert des échanges de lettres entre le pape Silvère et le roi des Goths. En entendant cela, Silvère refusa tout d'abord d'y croire, pensant que ces déclarations étaient motivées par la jalousie. Mais, alors que ces rumeurs allaient en s'accentuant et que les accusations se précisaient, il prit peur.

» Bélisaire convoqua le Saint-Père Silvère dans son palais; il fit attendre tous les membres du clergé aux portes de sa demeure. Lorsque Silvère et Vigile pénétrèrent dans le salon, ils trouvèrent la patricienne Antonina allongée sur un divan, son mari Bélisaire assis à ses pieds. Antonina déclara sans plus tarder : "Dites-moi, Maître Silvère, qu'avons-nous donc fait, aux Romains et à vous-même, pour que vous désiriez nous trahir et nous livrer aux Goths ?"

» Au moment où elle prononçait ces paroles, Jean, le sous-diacre régional de la première garde, s'avança et saisit le Saint-Père par le col de son habit pour le conduire dans une chambre. Là, il le fit se déshabiller, lui fit enfiler la robe d'un moine et le congédia.

» Vigile l'envoya ensuite en exil à Pontus, où il vécut dans la misère la plus totale. Il s'affaiblit rapidement et mourut. »

Théodora se révélait maintenant sous son vrai jour et ce qu'elle entreprit ensuite fut de loin son action la plus féroce. Elle fut l'unique impératrice de l'histoire à faire couronner son propre pape, Vigile, à Rome, en 538. Elle n'hésita pas, pour ce faire, à monter elle-même sur le trône papal et c'est vraisemblablement de là que date la légende de la mythique « papesse Jeanne ».

Avant de se pencher sur les récits des témoins rapportés par Procopius, il convient de les préfacer avec un dernier extrait d'une autre source indépendante.

Parmi les historiens reconnus de l'histoire byzantine, trois sont d'importance – Agathius (530-582), Lydus (490-565) et Evagrius (536-594). Dans son *Histoire ecclésiastique*, Evagrius fait le commentaire suivant : « Il y avait dans le caractère de Justinien une dépravation dépassant la pire bestialité que l'on puisse imaginer. Que cela fût un défaut de son caractère naturel ou la conséquence de sa lâcheté et de sa peur, je ne saurais le dire; mais en tout cas, cela se manifesta comme une résultante de l'insurrection populaire Nika. »

Voilà un portrait de l'empereur que l'on ne retrouve pas habituellement dans les écrits qui lui sont consacrés. La plupart d'entre eux, en effet, discréditent Procopius et atténuent grandement le diabolisme de Théodora.

L'*Histoire secrète* de Procopius

La version de *Anecdota*, ou de l'*Histoire secrète* dont nous allons traiter maintenant est l'un des sept volumes comprenant l'*Histoire des guerres* et l'*Histoire des bâtiments*, publiées chez Havard University Press en 1935.

Selon Dewing, le traducteur de ces œuvres en anglais, l'estimé Procopius, un homme de bonne éducation, est arrivé à Constantinople, venant de Césarée, en Palestine, alors qu'il n'était encore qu'un jeune homme. Aussitôt après son arrivée, il fut nommé conseiller légal et secrétaire privé du patricien Bélisaire, alors le plus jeune et le plus illustre des généraux de Justinien. Il s'agissait presque d'un privilège, à en croire un scribe anonyme spécialisé dans ce genre de commérages.

Immédiatement, on se trouve, avec Procopius, en présence d'un personnage à la stature imposante et jouant un rôle clé, celui de l'historien officiel de Justinien durant les trois guerres qu'il mena respectivement contre les Perses, les Vandales et les Goths; à ces occasions, Procopius voyagea avec ceux qui constituaient l'entourage immédiat de Bélisaire; il était ainsi aux premières loges pour observer l'évolution de la situation.

« En plus de l'intimité qu'il partageait avec Bélisaire, devait écrire Dewing, il faut ajouter que sa position fut un avantage certain pour occuper par la suite un poste important à la cour impériale de Constantinople et lui permit de faire la connaissance de nombre des dirigeants de l'époque. C'est ainsi que nous disposons du témoignage d'une personne étroitement liée aux membres de l'administration.

» Il faut admettre... qu'il ne gagna pas les faveurs impériales par son franc-parler; néanmoins, nous nous trouvons en présence d'un homme qui refusa de s'abaisser à d'abjectes flatteries; il fit même exactement le contraire dans les brillants récits des *Anecdota* ou de l'*Histoire secrète*. Là, il montra qu'il était à même de se libérer des contraintes imposées par le respect ou la peur et dévoila tout ce qu'il avait été amené à taire dans l'*Histoire des guerres* pour des motifs diplomatiques.

» Ces deux ouvrages sont le compte rendu de crimes, de débauches effrénées, d'intrigues et de scandales, à la fois dans la vie publique et dans la vie privée des dignitaires de l'époque... Ce récit est empreint d'une profonde amertume. Mais l'on n'y trouve que très peu de contradictions dans les faits.

» L'intention de Procopius était d'écrire un livre sur la doctrine du christianisme (et sur les longs débats, souvent stériles, qui précèdent à la formulation de celle-ci), comme il l'affirme clairement dans le chapitre XI, 33 de son *Histoire secrète* – une affirmation qu'il renouvelle dans le huitième livre des *Histoires* XXV, 13.

» Il est fort regrettable qu'il fût empêché de parvenir à son but, car son avis, celui d'un libéral, aurait certainement été très intéressant. »

Une étude minutieuse de l'*Histoire des guerres* montre que Procopius n'était pas seulement un chroniqueur méticuleux et attentif. Il était aussi un homme d'engagement et assuma la colère de Justinien en créditant, à juste titre, Bélisaire du succès des trois campagnes militaires.

Il est fort probable qu'il écrivit un traité sur la confusion religieuse qui caractérisait son époque, comme il l'avait promis. Le fait que ce manuscrit nous manque actuellement n'est pas forcément la conséquence de la perfidie de ses ennemis; il suffit pour cela de se rappeler la veuve Lady Burton, qui brûla les traductions que son mari avait faites de l'arabe pour « préserver la pureté de son souvenir ». Il est donc probable que l'*Histoire de l'Église* de Procopius ait été découverte par un bibliophile timoré qui, voyant la teneur de l'ouvrage, l'a confié aux autorités plutôt que de le vendre à bon prix à un collectionneur privé.

C'est un collectionneur privé qui découvrit le manuscrit des *Anecdota* à Rome, au milieu du XIXe siècle. Écrit en grec, encore intact, il avait de toute évidence été l'objet de soins tout particuliers pendant plus de 1400 ans. Mais, pour autant qu'on le sache, l'*Histoire de l'Église* disparut sans laisser davantage de traces que les archives de la cour impériale de Constantinople, qui ne survécurent pas à la sénilité et aux remords de Justinien.

Ceux qui ont la patience de supporter les archaïsmes et la vétusté du style de Procopius trouveront toute une série de portraits, réels et convaincants, qui émergent de l'*Histoire secrète*, bien distincts des effigies habituelles. Par exemple, la description des insomnies et des comportements quasi schizophréniques de Justinien qui peuvent s'assimiler au même modèle de comportement que celui d'Hitler. Mais Dewing, en 1935, l'année où il termina sa traduction, ne pouvait évidemment pas faire le rapprochement.

Un portrait de Théodora

Procopius fournit des renseignements si précis sur les pratiques sexuelles de Théodora que l'on envisage mal d'en parler ici. Et ces pratiques, lorsqu'on les compare aux agissements et aux excès des plus dégénérés des empereurs, paraissent parfaitement crédibles. Procopius fait une description du personnage, après sa nomination au rang d'impératrice :

« Les traits du visage de Théodora étaient plutôt fins et elle était attirante, bien que petite et assez pâle, d'un teint presque maladif; son regard était intense; et ses yeux clignaient souvent. Elle prenait énormément soin de son corps, mais jamais autant qu'elle aurait désiré. Par exemple, elle avait l'habitude de rester très longtemps dans son bain, le matin, avant d'aller prendre son petit déjeuner. Après le petit déjeuner, elle se reposait. À l'heure du déjeuner et du dîner, elle engloutissait de telles quantités de nourriture et de boisson que le sommeil la gagnait à nouveau; ce qui faisait qu'elle dormait ou sommeillait pendant de longues heures, de jour comme de nuit; et bien qu'elle se laissât aller à de tels excès, elle prétendait encore avoir le droit, et être capable, d'administrer tout l'Empire romain.

» Et s'il prenait à l'empereur l'envie de faire des faveurs à quelqu'un sans son consentement, les affaires de cette personne subissaient alors de tels revers qu'elle ne tardait généralement pas à être ruinée, couverte des pires indignités et malédictions; quand ce n'était pas la mort qui l'attendait. »

Pareille déclaration constitue un témoignage précieux et montre bien le souci de Procopius d'être le plus proche possible de la réalité.

Un portrait de Justinien

Procopius développa ensuite, de façon détaillée, sa théorie selon laquelle Théodora et Justinien étaient tous deux «possédés par des démons». Des troubles maniaques semblables à ceux qui allaient caractériser le personnage d'Hitler sont alors mis en évidence, même si le langage de cette époque manquait singulièrement de termes pour décrire les phénomènes d'ordre psychiatrique : « Je pense qu'il n'est pas en dehors de mon propos ici de décrire les apparences de cet homme. Il était de taille moyenne; il n'était pas mince mais légèrement gras; son visage était rond mais non point disgracieux; son teint restait rougeaud même après deux jours de jeûne. Mais je serais incapable de décrire avec précision son caractère, car cet homme faisait le mal en y étant amené par d'autres; il était un parfait comédien capable de défendre une opinion qui n'était pas la sienne. Il pouvait même aller jusqu'à pleurer... pas de joie ou de tristesse, mais par pure stratégie, suivant les besoins du moment... Il était hypocrite et n'hésitait pas à user de sa signature ou de sa parole pour donner plus de poids à ses faux engagements, et cela même lorsqu'il traitait avec ses propres sujets...

» Certains racontent l'anecdote suivante : un moine qui vivait conformément aux enseignements de Dieu se mit en chemin pour Byzance, afin d'aller y plaider la cause des pauvres gens qui demeuraient dans les environs du monastère et étaient traités de manière inacceptable. Dès son arrivée, on lui accorda une audience auprès de l'empereur. Mais à peine avait-il fait un pas dans la salle où se trouvait l'empereur, que le moine s'arrêta brusquement et recula.

» L'eunuque qui lui servait de guide le pria avec insistance d'avancer; mais lui, comme frappé par un coup invisible, ne dit rien, fit demi-tour et s'en retourna à l'endroit où on l'avait logé.

» Au moment où les serviteurs qui s'occupaient de lui lui demandèrent pourquoi il avait agi de la sorte, il déclara sans ambages qu'il avait vu le Seigneur des Démons assis sur le trône et qu'il n'avait pu souffrir sa présence assez longtemps pour lui demander quoi que ce fût.

» Et comment cet homme n'aurait-il pas été quelque démon pervers, lui qui ne buvait, ne mangeait et ne dormait presque pas, qui prenait un goût douteux à tous les plaisirs, qui déambulait dans son palais à toutes les heures de la nuit et du jour, et se passionnait pour les joies d'Aphrodite ? Généralement, il n'aimait pas aller dormir; il se contentait de prendre un peu de nourriture du bout des doigts et continuait sa déambulation oisive. »

La personnalité complexe de Justinien est observée de manière très précise et perspicace dans les lignes qui suivent : « Il n'éprouvait aucune honte face à ceux qu'il allait ruiner. Jamais il ne montrait une quelconque colère ou de l'exaspération, ne révélant ainsi pas ses sentiments vis-à-vis de ceux qui avaient osé l'offenser ou s'opposer à lui; mais, avec son petit air gentil, le sourcil bas, d'une petite voix menue, il donnait l'ordre de mettre à mort des milliers d'innocents, dépouillant ainsi des villes entières et confisquant les biens de ses victimes pour son trésor personnel. On pourrait déduire de cette dernière caractéristique qu'il était lâche... Pourtant, si quelqu'un tentait d'intercéder en faveur de ceux qui l'avaient offensé, le suppliant d'accorder son pardon, "enragé et montrant les dents", il semait la terreur sur tout son entourage. Plus personne alors ne se risquait à implorer sa clémence.

» Il semblait croire fermement au Christ, mais ce n'était en fait que dans le but de ruiner ses sujets. Car par son désir de rassembler les hommes dans la même croyance en Jésus-Christ, il détruisait les insoumis, prétendant agir avec piété et pour de nobles motifs. Pour Justinien, il ne s'agissait là nullement de meurtres : ses victimes avaient commis le crime de ne pas être du même avis que lui.

» Et je vais encore montrer comment... de nombreuses autres calamités se sont produites, provoquées, selon les dires de certains, par la présence de ce démon – dont nous avons déjà parlé – ou par le fait que la Divinité, ayant pris en horreur les actes de Justinien, s'était détournée de l'Empire romain et avait laissé sa place à d'abominables forces négatives.

» Ainsi, la rivière Scirte fut-elle à l'origine, en plus de l'ensevelissement d'Édesse, d'innombrables calamités qui s'abattirent sur les populations de la région; mais j'en reparlerai dans un autre de mes livres.

» Des tremblements de terre détruisirent alors Antioche, la première cité de l'Orient, et Séleucie, qui se trouve toute proche, ainsi que la cité bien connue de Cilicie, Anazarba. Qui pourra jamais compter le nombre de personnes qui périrent dans ces villes ?

» Et encore faudrait-il ajouter à cette liste les noms d'Ibora et d'Amasia, qui se trouvait être la première ville du Pont, Polybotus en Phrygie, la ville que les Pisidiens appelaient Philomède, Lychnidus en Épire et enfin Corinthe. Puis il y eut l'épidémie de peste qui décima la moitié de la population ayant survécu à ces catastrophes. »

Que l'on pense maintenant aux bombardements des Alliés au-dessus de l'Allemagne durant la Deuxième Guerre mondiale; que l'on pense aux voix qu'entendait Hitler, comme s'il avait été lui aussi possédé. Le rapprochement n'est pas fortuit ni abusif.

Procopius a brossé deux portraits particulièrement réalistes et il serait inconcevable de réduire ces observations au rang de simple verbiage.

Le 5ᵉ concile œcuménique de l'Église

Théodora, après avoir été l'instigatrice du meurtre de deux papes, tenta d'imposer à leur successeur, Vigile, sa volonté de faire disparaître toute trace du décret de Chalcédoine et de la notion de la division du Christ en deux natures distinctes, l'une humaine, l'autre divine. Elle n'y parvint pas.

Personne ne semble en mesure d'expliquer avec exactitude la raison et la date de sa mort. L'*Encyclopædia Britannica*, accordant finalement à Procopius le bénéfice du doute, la fait remonter à 547.

Une chose cependant est certaine : Justinien continua à mener ses affaires exactement comme si Théodora se trouvait toujours à ses côtés. Il était résolu à faire d'eux des divinités en rayant des dogmes chrétiens toute idée pouvant discréditer la déification. Quelle doctrine religieuse aurait pu le troubler davantage que celle de la réincarnation et de sa loi inéluctable de cause à effet ? Quelle autre loi pouvait annuler son statut impérial et celui de ses courtisans au moment de leur mort, les réduire tous au même état : des âmes destinées à se réincarner pour expier leurs fautes et s'améliorer ?

L'édit des Trois Chapitres

Le génie de Justinien consista à déterrer une loi civile tombée dans l'oubli et promulguée en 531, sous le nom de l'édit des Trois Chapitres. Celui-ci avait valu bien des déboires à ses trois auteurs, depuis longtemps défunts, les évêques Théodor, Théodret et Ibar. Cet édit sans grande importance n'avait soulevé l'attention de personne, à l'époque, hormis celle de Vigile; en 553 toutefois, ses craintes allaient se voir entièrement justifiées, lorsque Justinien jugea nécessaire de faire convoquer le 5e concile œcuménique de l'Église pour faire de cet édit mineur une loi canon.

Lorsqu'il en arriva à exclure du concile tous les évêques occidentaux sauf six d'entre eux, alors qu'il avait autorisé cent cinquante-neuf évêques orientaux à y assister (probablement tous fidèles aux monophysites), Justinien provoqua la réaction, tardive mais courageuse, de Vigile. Le pape Vigile demanda que la représentativité des évêques occidentaux et orientaux soit égale; comme on pouvait s'y attendre, Justinien ne tint aucun compte de cette requête.

Ainsi spolié des dernières bribes d'autorité, toutes superficielles, dont il disposait encore, le pape Vigile refusa d'assister au concile, même si les raisons qui le poussèrent à prendre cette décision dépendaient plutôt de son instinct de conservation que de sa loyauté envers Rome. Justinien n'était pas loin de précipiter sa fin, de la même manière qu'il l'avait fait pour Agapet et Silvère.

Si l'Église de Rome n'avait pas été réduite à l'impuissance face à la suprématie militaire de Byzance, Vigile aurait certainement interdit à

216

Justinien de convoquer le 5ᵉ concile sous peine de le faire excommunier. Et s'il s'était trouvé davantage de l'étoffe du martyr dans la personnalité de Vigile, il aurait été à même de susciter suffisamment de protestations en Occident pour faire réfléchir Justinien à deux fois; en effet, l'empereur ne tenait pas à provoquer un soulèvement de l'opinion publique comme ce fut le cas lors de l'insurrection populaire Nika en 523.

Le manque de sérieux qui a présidé à la conservation des archives de ce concile est stupéfiant. En fait, il ne nous en reste aucune. Lorsque le concile s'acheva, dans une atmosphère de confusion totale, Justinien annonça officiellement que son seul but avait été de légaliser le fameux édit des Trois Chapitres et que c'était maintenant chose faite.

Le pape Vigile reçut une note officielle lui annonçant que l'édit des Trois Chapitres était dorénavant une loi. Ainsi, le concile avait rempli sa mission et, soumis, les évêques s'en allèrent.

En elle-même, la portée politique de cet édit était assez restreinte. Et s'il ne s'était agi que de Justinien, il l'aurait certainement fait inclure dans la loi canon sans recourir à la lourde machinerie d'un concile œcuménique. C'était comme d'aller cueillir tous les fruits d'un verger pour manger une seule pomme...

Mais d'autre part, si l'intention de l'empereur était de faire disparaître toute allusion à la métempsycose dans le texte original des Évangiles, il aurait certainement eu besoin de la puissance considérable du 5ᵉ concile pour masquer sa manœuvre.

Quel était donc le but réel de ce concile ?

Il ne s'agissait pas moins que de condamner les

écrits d'Origène, condamnation qui eut pour effet immédiat de faire annuler le décret chalcédonien de 451. Il est absolument nécessaire de ne pas confondre le décret de 451 avec le ridicule édit des Trois Chapitres de 531; et le tour de passe-passe du 5e concile fut de détourner l'attention de l'importance du décret de 451.

Qui était réellement à l'origine du concile ? Le fantôme infatigable de Théodora. C'était le coup d'état posthume qu'elle avait fomenté pour détruire et briser l'autonomie de l'Église occidentale de Rome. Les monophysites se trouvèrent dès lors en mesure d'aligner les vues de l'Église sur les leurs et de les contrôler depuis leur forteresse orientale.

En bref, derrière tout le faste de ce 5e concile, se dissimulait une véritable chasse aux sorcières; et la victime en fut la réincarnation sous toutes ses formes, platonique, origénique, laïque et religieuse.

Justinien fut un laïque qui s'immisça dans les affaires de la loi ecclésiastique. Celui qui occupait le poste suprême à la tête de l'Église romaine s'était vu refuser l'entrée au concile et seuls six évêques occidentaux avaient été autorisés à voter.

Les résolutions du concile contribuèrent, bien évidemment, à la disparition de l'origénisme dans l'Église chrétienne, même si quelques sectes, notamment les troubadours du sud de la France, continuèrent d'exister dans la clandestinité pendant quelques siècles.

Bien plus : les attaques dirigées contre Origène représentaient autant d'assauts contre les Premiers Pères de l'Église, dont les écrits reflétaient toute l'admiration qu'ils portaient à cet homme.

Les copies de leurs œuvres n'étaient pas nombreuses et il fut facile d'en faire disparaître toute trace. Les premiers Évangiles, rédigés en grec ou en latin, furent mis hors de portée des mains des laïques.

Fort peu nombreux, si toutefois il y en eut, furent les monastères qui eurent le courage de défier l'empereur et de cacher les versions originales des Évangiles qu'ils possédaient. Les espions de l'empereur étaient aussi efficaces et implacables que ceux de Staline ou d'Hitler; ils disposaient de renseignements très détaillés sur toutes les bibliothèques religieuses. Ce que Justinien voulut faire disparaître ou modifier, tout cela fut accompli en un temps record; il en fut de même pour l'élimination de toute trace évidente de vandalisme.

Même ainsi, certaines questions s'obstinent à rester encore sans réponse. Le pape Vigile, s'il n'avait pas senti derrière lui toute l'influence de l'Église occidentale, ne se serait jamais opposé à Justinien. Il condamna pourtant le concile.

Si l'on suppose que la sympathie des évêques occidentaux allait aux principes des monophysites, pourquoi Justinien serait-il allé jusqu'à leur barrer l'entrée de ce concile ? N'aurait-il pas dû, au contraire, leur souhaiter la bienvenue ?

Comment Rome en est-elle arrivée à la conclusion que son pape avait volontairement approuvé ces anathèmes et les avait officiellement acceptés comme faisant partie de la loi canon ?

L'absence, hormis six d'entre eux, des évêques occidentaux au concile était habilement préméditée pour inculquer au cœur même de l'Église mère une confiance en ses ennemis les plus acharnés, Théodora et Justinien. Rome avait-elle été préparée à se soumettre à ces intimidations, et ce pour l'éternité ? On peut comprendre la crainte de la cruauté de Théodora, du temps de son vivant... Mais, vers la fin de sa vie, Justinien n'était plus que l'ombre de lui-même; il ne représentait plus aucun danger; il recherchait désespérément le chemin du repentir et de l'absolution. Pourquoi dès lors les conclusions de ce fameux concile n'ont-elles pas été révisées par un concile œcuménique autorisé ?

L'*Encyclopédie catholique* nous apprend que Vigile et les quatre papes qui lui ont succédé ne reconnaissaient que l'édit des Trois Chapitres lorsqu'ils se référaient au 5e concile et qu'ils parlaient de l'origénisme comme s'ils ignoraient la condamnation dont il avait fait l'objet.

Cinq cents ans plus tard, en 1054, les Églises romaine et grecque s'excommunièrent l'une l'autre. Aucune divergence idéologique ne peut être plus complète. Pourtant, l'ambiguïté qu'a montrée l'Église grecque lors du concile de Florence, à l'époque de la Renaissance, est étonnante. George Gemistus, qui y assistait en tant que représentant de l'Église grecque, pressa Cosimo de Médicis, alors à l'apogée de sa puissance, de créer une Académie platonique à Florence. Celle-ci servirait à introduire la notion de métempsycose dans la philosophie européenne, bien que l'Église y restât farouchement opposée. Le commentaire caustique de Voltaire, « de nos jours les catholiques romains ne croient qu'aux conciles approuvés par le Vatican et les catholiques orthodoxes grecs ne croient qu'à ceux qui ont été approuvés par Constantinople », dénote un renversement ironique de la fidélité aux enseignements de Platon. Rome les avait condamnés avant que les Grecs n'y reviennent, même si, eux aussi, ne les acceptaient pas entièrement dans leurs croyances.

Cela revient à dire que les conclusions réelles du 5e concile, n'ayant jamais été soumises à l'approbation de l'Église de Rome, n'ont ainsi jamais été ratifiées par elle.

Ce concile n'a rien été de plus qu'une supercherie élaborée pour dissimuler la réunion d'un conclave bien plus restreint qui s'était tenu quelques jours plus tôt. Au cours de cette cabale secrète, si l'on en croit l'*Encyclopédie catholique*, « les évêques déjà réunis à Constantinople avaient à prendre en considération, sur ordre de l'empereur, une forme d'origénisme qui n'avait pratiquement rien en commun avec Origène, mais qui était professée, nous le savons maintenant, par une des écoles origénistes de Palestine ».

L'*Encyclopédie* termine sur cette constatation que les évêques avaient docilement souscrit aux quinze anathèmes proposés par l'empereur contre Origène et que Théodore de Scythopolin, un origéniste reconnu, fut contraint de se rétracter. Mais (et il faut accorder la plus grande importance à ce qui suit), « nulle part on ne trouve la preuve que l'approbation par le pape, qui était alors en train de protester contre la convocation de ce concile, ait même été demandée. On comprend aisément de quelle manière cette sentence prise hors concile ait pu être prise, par la suite, pour un décret authentique du concile œcuménique ».

Durant les 1 400 ans écoulés depuis le concile, aucune autorité ecclésiastique n'a fait examiner ce problème avec l'attention qu'il mérite, ou n'a même montré le désir d'agir de la sorte.

Head et Cranston, dans leur *Réincarnation, une anthologie est-ouest*, donnent cette brève explication : « Il semble clair... que les catholiques commencent à renier le rôle joué par l'Église romaine dans les anathèmes contre Origène. Ils suggèrent qu'il s'agissait en fait d'un malentendu.

» Un malentendu désastreux, qui aboutit à l'exclusion, par la chrétienté, de l'enseignement de la préexistence de l'âme et de la réincarnation. »

12

Le procès des sorcières de Salem : l'« éthique puritaine » dans la psyché américaine

On comprend parfaitement que les références au procès des sorcières de Salem, en 1692, soient d'une importance particulière pour les Études de vie d'Edgar Cayce. En effet, ce procès fut le premier exemple de persécution religieuse qui ait laissé des traces indélébiles dans le Nouveau Monde comme sur les âmes humaines qui y furent impliquées.

Quatorze hommes et quinze femmes furent pendus et un homme fut acculé à la mort pour avoir refusé de plaider coupable. Cinquante-cinq autres personnes en réchappèrent uniquement en dénonçant des innocents. Et lorsque les autorités se calmèrent, cent cinquante personnes croupissaient encore derrière les barreaux.

Là encore, « les cicatrices se sont transmises de siècle en siècle ». L'impression générale que l'on peut avoir de ce sombre épisode de l'histoire, grâce aux études de Cayce, est que, parmi les hommes, les femmes et les enfants innocents qui furent persécutés, se trouvait une poignée de visionnaires et de clairvoyants géniaux.

Les cas que l'on trouve dans les dossiers de Cayce sont pour ainsi dire tous confrontés d'une façon ou d'une autre à des problèmes d'ordre psychique dans leur vie actuelle. Dans le premier exemple que nous mentionnons, on trouve à nouveau des karmas physique et émotionnel convergents.

La sorcière plongeante

Il y a environ une trentaine d'années, un membre de l'ARE demanda que l'on vienne rapidement au secours de sa sœur, Moira Schaeffer. Artiste âgée de 31 ans, nature plutôt timide et introvertie, Moira avait été invitée à une soirée à Greenwich Village, au cours de laquelle elle devait faire la rencontre d'« artistes et d'hommes d'affaires qui pourraient l'aider pour l'avenir de sa carrière ». Elle revint chez elle complètement traumatisée et son état se détériora très rapidement : elle s'infligeait de telles violences à elle-même qu'il fallut la faire enfermer dans un établissement psychiatrique.

Dans ses crises de délire, elle hurlait sans cesse que quelqu'un la terrorisait et essayait de lui faire du mal; elle était complètement paniquée à l'idée que « l'homme avec le parapluie noir » puisse revenir la voir.

Son Étude de vie la fit remonter en Nouvelle-Angleterre à l'époque de la chasse aux sorcières. Cayce la retrouva là sous les traits de Mana Smyrth, qui disposait d'un don de clairvoyance qui ne manqua pas de la conduire dans le box des accusés. La sentence à laquelle elle fut condamnée fut plutôt légère : elle dut prendre part à une série de plongeons de sorcières. Mais de tels sauts étaient souvent assez brutaux pour causer la mort accidentelle, par noyade; Mana Smyrth réchappa de cette épreuve emplie de haine et de désir de vengeance.

« L'entité a souffert de ces persécutions et fut souvent amenée à se soumettre à cause des plongeons qu'on l'obligeait à faire.

« Ainsi, l'entité a hérité à la fois de bonnes et de mauvaises influences dans sa vie présente. On retrouve maintenant le besoin de prendre des positions clairement définies. Et, dans un certain sens, malgré la peur que l'eau inspire à l'entité, il se trouve que cette eau peut être un moyen ou une voie de meilleure expression. »

L'intensité de sa haine et de sa colère avait annihilé les gains qu'elle aurait pu réaliser en pardonnant à ses ennemis. Mais en abusant de la loi de grâce, elle se trouvait une fois encore prisonnière de la loi karmique de cause à effet, à cause d'une affaire qui s'était mal terminée dans une vie antérieure, alors que l'entité était un artisan dans une lointaine contrée arabe. « De graves troubles physiques et mentaux remontent à cette période, lui apprit Cayce, et pourtant – comme l'entité put s'en apercevoir, à l'époque – elle avait de nombreuses possibilités pour exprimer toute la beauté grâce à l'art. Il peut en aller de même dans le présent. »

En dépit de cette lueur d'espoir, le cas de Moira restait désespéré. Son Étude physique révéla que sa démence était provoquée par des lésions de la moelle épinière. Mais il fut impossible de convaincre les médecins de l'établissement où elle se trouvait de la laisser sortir de la section des « dangereux et incurables » ou d'appliquer un traitement ostéopathique. Elle ne pesait plus que quarante kilos. Elle avait perdu la raison au point de ne reconnaître personne. Toutefois, Edgar

Cayce insista tellement pour qu'on lui vienne en aide que David Kahn, un membre influent de l'ARE à New York, usa de l'autorité dont il disposait. Après une succession laborieuse de démarches et une série de miracles, la jeune femme recouvra et son esprit et sa santé grâce à un traitement ostéopathique.

Sa prédestination d'artiste fut confirmée lorsque son Étude lui apprit qu'elle avait été apprentie dans l'atelier du fameux peintre Pierre Paul Rubens (1577-1640) et que, si elle suivait attentivement les cours de son école de peinture, son propre style serait couronné de succès.

La lettre de remerciements qu'elle fit parvenir à Edgar Cayce contient ce passage émouvant : « Je me sens beaucoup plus heureuse depuis que j'ai fait cette Étude. Il me semble miraculeux qu'un être humain puisse voir et sentir les choses comme vous le faites ! L'influence de Rubens a été remarquée dans mon œuvre, ce qui donne beaucoup de poids à votre affirmation ; je vais continuer à étudier l'œuvre et la période de Rubens, à Boston... Je me spécialise dans la technique de l'aquarelle. Comme vous le disiez dans votre Étude, c'est bien de l'eau que vient mon épanouissement. »

Jamais on ne put déterminer avec exactitude la nature du mal dont Moira avait souffert, mais l'impression de sa sœur, qui l'avait écoutée pendant ses crises de délire, était qu'une sorte d'hypnose malveillante avait été utilisée contre elle.

Si c'est réellement le cas, pourrait-il s'agir d'une vengeance de la « sorcière » de Salem qui poursuivrait ses tourmenteurs ? Et se serait-elle alors laissé prendre à son propre piège ? Car maudire autrui, « c'est se maudire soi-même ».

Deux célébrités font une apparition dans les

Études de Cayce, et dont l'existence peut être confirmée; il ne faut toutefois pas perdre de vue le fait que l'orthographe des noms est souvent arbitraire et phonétique. Il s'agit de John Dane, qui prit une part active à ces persécutions, et du révérend James Allen, un pasteur qui tenta de prendre la défense des persécutés.

John Dane (ou Dain) fut « un de ceux qui furent les premiers à arriver dans une contrée que l'on connaît maintenant sous le nom de Massachusetts, et parmi ceux que l'on appelait les puritains. L'entité réalisa des gains en rendant service à autrui et en s'appliquant à améliorer spirituellement son corps et son esprit; l'entité endura de nombreuses souffrances durant cette période ».

Outre cette incarnation, l'Étude de Cayce fait référence à une vie antérieure de Dane, au cours de laquelle il fut un moine anglais qui s'était laissé tenter par « les faiblesses de la chair », ce qui lui fit renoncer à ses vœux de chasteté. De toute évidence, il payait pour cela dans la vie qu'il menait actuellement.

Il existe au moins deux livres faisant référence à Dane comme un membre du jury qui siégea au procès des sorcières : il s'agit de *More Wonders of the Invisible World*, publié par Robert Calef en 1700, et de *Witchcraft*, de Charles Williams, publié par Faber et Faber, à Londres; ce dernier relate la manière dont « un groupe de jurés signa une déclaration dans laquelle ils demandaient à être pardonnés d'avoir participé aux persécutions ». Parmi ceux qui apposèrent leur signature au bas de cette déclaration figurait le nom de John Dane.

Le révérend James Allen était pasteur à la fois à Salem et à Providence, et « l'on peut encore trouver, dans les environs de Salem, le monument, ou plutôt la plaque commémorative dédiée à Allen ».

L'Étude affirme qu'Allen avait été persécuté pour avoir tenté de prendre la défense de ses paroissiens, qui « étaient venus dans un pays libre pour pouvoir adorer leur Dieu selon les préceptes de leur propre conscience ». « L'entité réalisa plusieurs gains lors de cette expérience. Bien qu'exilée, elle était aimée et appréciée par tous ceux dont elle avait servi le corps et l'esprit durant cette vie, ce qui lui valut finalement les éloges de ceux qui savaient ce qu'elle avait enduré pendant les persécutions.

» Pour l'entité, c'est là le test de la fidélité de son âme, même au cours de son expérience présente. »

L'existence d'Allen se trouve confirmée dans le livre *Records of Salem Witchcraft*, volume II, d'Elliot Woodward, mais sa tombe, par contre, a été en grande partie détruite. Malgré cela, à en croire l'Étude, sa pierre tombale est encore intacte et on peut y lire l'inscription qui y figurait.

Ces deux hommes se portent bien dans leur vie actuelle, bénéficiant de la compassion et de la tolérance dont ils avaient fait preuve durant cette période de persécutions. Même Dane, bien qu'ayant siégé au procès et condamné des gens à la potence, avait agi au plus proche de sa conscience. Et plus d'une misérable créature a eu la vie sauve grâce au vote de Dane en sa faveur.

Le mal revient au mal

Nous arrivons maintenant à un cas plus complexe, qui pourrait très bien avoir été écrit par la plume de Poe ou de Hawthorne. Au début des années 30, l'Étude d'Ezra Brandon, âgé de 35 ans, marié avec une jeune famille à charge, concorda avec celle de Marion Kramer, une femme célibataire, de quelques années son aînée.

Brandon souffrait de psoriasis, qui avait été provoqué par une blessure au dos; mais son Étude physique avait fait beaucoup pour le soulager de ses peines.

Quant à Marion, elle se trouvait en pleine confusion. Elle possédait un don de clairvoyance qu'elle utilisait à tout propos en abusant de l'écriture automatique et des séances médiumniques. Elle était acharnée, malicieuse, et ne tenait aucun compte des sentiments des autres. Lorsqu'elle fit la rencontre d'Ezra Brandon, elle ressentit une attirance sexuelle irrépressible pour lui, à laquelle il ne manqua pas de répondre. Utilisant sa concentration pour tirer profit de la faiblesse d'Ezra, elle ne tarda pas à le subjuguer avec sa personnalité dominatrice; les séances médiumniques lui affirmèrent que leurs deux âmes étaient liées l'une à l'autre et qu'il devait se libérer des liens de son mariage. Tout cela était faux, mais suffisant pour faire mordre à l'hameçon le crédule Brandon.

Aucun des deux ne tint compte des avertissements implicites contenus dans leurs Études respectives. Brandon divorça et abandonna sa famille. Dès que Marion et Ezra se marièrent, le malheur, qui ne s'était pas encore manifesté, s'abattit sur eux. Non seulement la bonne humeur d'Ezra se dissipa complètement, à cause d'une série de catastrophes, mais encore il tomba malade pour ne jamais s'en remettre.

À première vue, ce cas pourrait paraître banal. Mais il avait quelque chose de particulier : c'était la répétition d'une relation malsaine qui s'était établie pour la première fois à Salem, il y avait trois cents ans de cela.

À cette époque, le couple était déjà marié; l'homme, qui s'appelait alors Jacob Bennet, persécutait les femmes accusées de sorcellerie avec un zèle tout particulier; il ne fit même aucune exception pour sa propre femme lorsqu'elle se retrouva parmi les victimes; « à plusieurs reprises elle fut plongée dans l'eau – et mise aux fers une fois – à cause de ses activités ».

Tant Marion Kramer qu'Ezra Brandon étaient revenus avec des possibilités intéressantes. On avait conseillé à Marion d'utiliser ses capacités de façon constructive en se dirigeant vers la psychologie ou la psychiatrie; quant à Ezra, on lui avait dit qu'il pourrait aisément surmonter son intolérance et les remords qu'il en concevait, en exerçant dans les domaines social et religieux.

Pourquoi se sont-ils à nouveau enchaînés l'un à l'autre, brisant ainsi leur vie actuelle ? En ce qui concerne Marion, son incapacité à pardonner et son désir de vengeance ont été les plus forts. En rappel à une vie antérieure en Grèce, où elle avait joui à l'excès des plaisirs de la chair, elle avait usé d'une pression purement sexuelle pour faire tomber Brandon dans son piège.

Et lui, pourquoi lui avait-il permis sans réagir de détruire sa vie ? Physiquement, il était en train de se rétablir; il n'avait pas fait un mauvais mariage. Il fit donc preuve d'une soumission passive à sa destruction inévitable. Jamais sa volonté n'intervint.

Dans cette atmosphère de nihilisme, la loi de grâce ne pouvait se manifester : c'est pourquoi tous deux furent laissés à la merci de la loi de cause à effet.

Les bons amis

Malgré tout, l'expérience de Salem eut des aspects positifs. En voici un exemple : il s'agit de la relation unissant une femme mariée et son beau-frère; tous deux, à Salem, répondaient au nom d'Alden. Lui exerçait une profession qui lui répugnait tant qu'il décida finalement de se tourner du côté des opprimés. Quant à la femme, « elle souffrait physiquement des persécutions qui s'étaient abattues sur son ménage. Toutes sortes de maux affligeaient l'entité et elle tint rancune à ceux qui avaient fait souffrir son entourage.

» Dans le présent, elle garde toujours une crainte innée des professeurs, pasteurs ou de ceux qui exercent une profession en relation avec des sources invisibles ». Elle craignait aussi d'être malmenée si elle venait à faire connaître ses opinions réelles.

Avait-elle été accusée de sorcellerie ? L'innocent souffre deux fois plus cruellement que le coupable, dans une époque de persécutions publiques; rares sont ceux qui s'en remettent.

Quel que fût son cas, elle s'occupait d'une pension dans le Norfolk lorsqu'elle fut reçue par Edgar Cayce, en raison de sa foi sincère. En tant que membre du groupe de prière de l'ARE, elle développa le rare talent de pouvoir « soigner avec ses mains ».

Dans sa vie actuelle, son beau-frère était de nationalité allemande et, tout jeune homme, il dut servir dans l'infanterie lors de la Première Guerre mondiale. Lors de la défaite finale de l'Allemagne, il fut grièvement blessé et abandonné, mourant, sur un champ de bataille déserté. Au cours de la nuit toutefois, ses blessures se refermèrent et il dut la vie à une créature lumineuse et supranaturelle. Il crut qu'il s'agissait de son ange gardien – et il n'est de loin pas le seul à avoir vécu ce genre d'expérience lors de la guerre de 14-18 – car il fut un des premiers blessés à être découverts par les brancardiers à l'aube du lendemain.

Ensuite, il émigra en Amérique et le destin le conduisit à cette pension dans le Norfolk, où il fut accueilli chaleureusement par celle qui fut sa belle-sœur du temps de leur vie à Salem; c'était maintenant une veuve de 58 ans. Grâce à elle, il obtint une Étude d'Edgar Cayce; il alla même étudier à l'université d'Atlantic, dépendant de la même organisation que le Edgar Cayce Hospital, et qui s'effondra lors du krach de 1929.

Cayce expliqua que l'ange gardien du jeune homme n'était pas un ange dans le sens strict, mais un des « surveillants », ou « secouristes », qui avaient fait suffisamment de progrès spirituels pour venir en aide aux pauvres mortels, alors qu'ils étaient eux-mêmes dans une autre dimension, en attente d'une renaissance.

Cette âme évoluée avait récompensé la pitié et la gentillesse dont Alden avait fait preuve à l'égard des victimes des persécutions de Salem. Cela illustre très clairement de quelle manière la loi de grâce peut l'emporter sur les lois karmiques de cause à effet.

Un autre aspect positif se retrouve dans le cas de cette femme qui s'était échappée de Salem pour aller en Virginie, « Jane Dundee, la sorcière »; bien que victime de harcèlement jusqu'à sa mort, elle continua inlassablement à faire le bien. Son Étude lui apprit qu'elle avait été l'un des enfants malades soignés par le Christ et que le désir de soigner et de guérir les autres était resté vivace au travers de ses différentes vies. Ce désir se manifestait maintenant par sa capacité de soigner par imposition des mains.

L'impression générale que l'on retire des références faites à Salem dans les dossiers des Études est qu'un groupe d'âmes s'étant incarné à ce moment-là faisait en fait partie d'un cycle de réincarnations compris entre la France (depuis les Croisades jusqu'à la Révolution) et la Palestine, à l'époque du Messie; et, en remontant dans le temps, entre la Grèce, l'Égypte préhistorique et le continent disparu de l'Atlantide. Toutes ces âmes, qui avaient répondu instinctivement à l'appel de Jésus-Christ, firent preuve de beaucoup de courage et de force spirituelle lors des procès de Salem. Là où ils le pouvaient, à chaque occasion, ils s'efforçaient de restaurer la tolérance et la compréhension.

Ceux qui finirent mal à Salem furent souvent intolérants, dans leurs vies antérieures. Mais il est surprenant de constater combien tirèrent des leçons de leurs erreurs et s'en revinrent au XXe siècle, non seulement préparés à vivre, mais également prêts à se mettre au service des autres.

On se rend assez bien compte des conséquences possibles d'une vie à Salem dans des références telles que celle-ci :

« ... L'entité répondait alors au nom d'une certaine Sally Dale, qui perdit la vie à cause d'un coup de froid provoqué par ces trop fameux plongeons. Pour elle, cela se traduisait dans le présent par la crainte de laisser s'exprimer librement ses sentiments profonds, surtout lorsqu'il s'agissait de sujets tels que la sorcellerie. »

« ... Sous le nom de Marie Smith... elle entendait des bruits et avait des visions issues de l'imagination d'un esprit qui se trouvait loin de chez lui (il s'agissait de la longue histoire d'une esclave indienne) et qui avait reconnu dans le murmure de la forêt le signe de la vie des âmes.

» Dans le présent, cela peut se traduire par une certaine forme de curiosité, par le désir de savoir – en écoutant discrètement quelques bribes de discussion... Et souvent tu entendras ce que personne ne peut entendre; cela te rendra bien plus heureuse ! »

« ... Sous le nom d'Elsie Pepper... elle se trouvait avec ceux qui avaient osé défier, comme l'avait dit le Seigneur, les loups qui se déguisaient en agneaux. D'où son intérêt, dans sa vie présente, pour toutes choses qui sont de nature semblable (à la sorcellerie) – ces rêves et ces visions n'étaient nullement une illusion ! »

« ... L'entité fut également un certain Bill Edmundson, qui guida ceux qui n'avaient pas encore trouvé la Voie. Elle tenait un magasin et était étroitement liée aux pasteurs et à certains des conseillers municipaux... C'est ainsi que l'on retrouve des intérêts d'ordre commercial, une certaine facilité pour parler en public, ainsi que des affinités pour tout ce qui a trait aux forces occultes ou parapsychologiques. Il y a des possibilités dans tous ces domaines, mais l'entité doit se méfier des excès et ne pas oublier la considération qu'elle doit à autrui. Car la liberté de parole n'autorise aucun individu à dire du mal de son prochain. Bien plus, elle donne à celui qui en dispose le privilège d'exercer une influence bénéfique, grâce à ses discours, ses pensées et ses actes. Ce n'est qu'ainsi que l'on est réellement libre et que l'on a trouvé la vérité ! »

« ... À l'époque des persécutions de ceux qui n'avaient que le tort d'être différents des autres, ou de ceux qui voyaient, entendaient et comprenaient davantage que le commun des mortels, on trouvait l'entité trop indulgente envers ceux du sexe opposé et elle en souffrit, tant moralement que physiquement. Dans le présent, le souvenir de telles expériences provoque des troubles au niveau de la glande pinéale, causant à leur tour des désordres au niveau mental. Toutefois, si ces dérèglements sont utilisés et mis au service d'un idéal, ils peuvent alors devenir bénéfiques. »

« ... L'entité persécutait ceux qui avaient des visions, faisaient des rêves et étaient considérés comme des personnages trop étranges. Pourtant, lorsque les personnes de son propre entourage avaient des visions et entendaient des voix, l'entité en concevait une confusion certaine. D'où, dans le présent, son attrait pour les phénomènes d'ordre parapsychologique ou occulte, ainsi que pour tout ce qui est de nature scientifique.

Il convient ici de noter que, parfois, les mystères n'ont aucune utilité dans la vie matérielle. Il faut aussi se garder de prendre exemple sur ceux qui font des expériences matérielles avec leur âme au point d'en empêcher le développement spirituel ! »

Une sorte de sadducéen

Un certain mystère entoure la vie qu'aurait passée à Salem un membre de l'ARE, « qui s'appelait alors Robert Calvert. L'entité prit part à de nombreux interrogatoires et siégea en tant que juge des dogmes qui régissaient les rapports, très orthodoxes, entre l'Église, l'État et les gens ». Celui à qui était destiné l'Étude écrivit ce qui suit à Gladys Davis Turner :

« Pendant quelques mois, je me suis mis à la recherche des traces d'un certain Robert Calvert qui aurait correspondu à la description. Les seuls à porter ce nom dans le Nouveau Monde étaient ou avaient été dans le Maryland, et non dans le Massachusetts. De plus, il n'y avait aucun Robert parmi eux et leur descendance s'arrêtait immédiatement après eux, car ils n'avaient pas eu d'héritiers.

» L'index du *Diable dans le Massachusetts* ne fait aucune mention d'un quelconque Robert Calvert, mais il cite par contre un certain Robert Calef, dont le caractère et les activités correspondaient exactement aux renseignements fournis par l'Étude de Cayce.

» Il était marchand à Boston, quoique certains fassent allusion à lui en tant que tisserand, et il assista à de nombreux interrogatoires tout en occupant quelquefois le poste de juge.

» La différence entre les deux noms peut être mise sur le compte d'une erreur de transcription, dans la mesure où la calligraphie des lettres est très ressemblante, et la substitution d'un nom peu usité par un autre, plus courant, semble fort plausible. Je pense que Robert Calef était bel et bien l'homme dont il a été fait mention dans l'Étude.

» Il était né en Angleterre en 1648 et était déjà venu quelquefois à Boston avec sa famille avant 1688. Deux de ses huit enfants étaient nés après son arrivée à Boston et l'aîné de ses fils était physicien à Ipswich. En plus de ses affaires et des occupations qu'il avait en rapport avec la sorcellerie, Calef fut, de 1692 à 1710, officier de police, surveillant des récoltes, surveillant des chemins et des routes, employé au marché de la ville, administrateur de la taxe des pauvres, assesseur et collecteur de la dîme ! À la fin de sa carrière, il se retira dans sa propriété, à Roxbury, dans le Massachusetts, où il mourut et fut enterré dans le vieux cimetière qui se trouvait en face de sa maison, le 13 avril 1719, à l'âge de soixante et onze ans.

» Il semble avoir été l'un des rares personnages sains d'esprit de l'endroit; tout tisserand ou marchand d'habits qu'il fût, il n'hésitait jamais à porter son propre jugement et à en tirer les conclusions qui s'imposaient. Il n'hésita pas non plus à remettre en question, régulièrement, les théories, les croyances et les raisonnements des deux penseurs, Cotton et Increase. Lorsqu'ils ne lui donnaient pas satisfaction, il en appelait à tout le clergé. Il fit suivre le livre de Cotton, *Wonders of the Invisible World*, d'un ouvrage de son cru, *More Wonders*, qui fut réimprimé à cinq reprises et qui est, aujourd'hui encore, reconnu comme le travail d'un individu bien intentionné et expérimenté, doué d'un esprit méthodique.

» Peut-être suis-je présomptueux et trop emporté, mais je ne crains pas d'affirmer que je suis fier de Robert Calef – il est le genre d'hommes, non seulement que j'aurais aimé être, mais encore celui que je vais essayer d'être pour le temps qu'il me reste à vivre !

» Il est difficile aujourd'hui de cerner la relation existant entre ce que fut Robert Calef et sa personnalité actuelle. Et pourtant, je suis sûr qu'il y en a une.

» D'où les influences que l'on sent dans le présent qui font que l'entité s'estime parvenue, incomplète...

» L'explication exacte de toute chose est pour moi une nécessité. Bien qu'aujourd'hui je ne sois pas un aussi bon marchand, que mon expérience soit beaucoup moins grande en tant que surveillant, que constable ou qu'administrateur des pauvres, je suis prêt à engager la discussion avec n'importe qui. Et je désire également mettre cela sur le papier, exactement de la manière dont je le vois – pas à pas – même sous peine de paraître fastidieux et peu nuancé.

» Je me suis endurci. Mais je suis encore un libertin dans une robe de puritain – les penseurs de ce monde et moi-même sommes encore à iné-galité ! Mais peut-être avaient-ils raison et ne suis-je qu'une sorte de sadducéen ! »

13

Les répercussions de « À la recherche de Bridey Murphy »

Les trois hommes ayant le plus œuvré pour rendre populaire la théorie de la réincarnation d'Edgar Cayce sont le regretté Thomas Sugrue, qu'il connaissait et appréciait comme un de ses propres fils; Morey Bernstein, qui vint à Virginia Beach sitôt après la mort de Cayce avec l'intention de le faire passer pour un imposteur; et, plus récemment, Jess Stearn.

Il n'est pas nécessaire de présenter ici Thomas Sugrue, et le livre de Stearn, *The Sleeping Prophet*, parle de lui-même.

Bernstein était un jeune homme particulièrement actif et doué, un esprit indépendant; l'étude qu'il fit des phénomènes hypnotiques de manière médicale l'avait conduit à découvrir l'ouvrage *There Is a River*. À Pueblo, dans le Colorado, il fit la connaissance d'une jeune ménagère, Ruth Simmons, qui, sensible à la suggestion hypnotique, remonta à la vie antérieure qu'elle avait vécue en tant que femme d'un paysan de Belfast, au cours de la première moitié du XIXe siècle.

Ainsi, Bridey Murphy était condamnée à revivre une existence terne et obscure; pendant quelques années, elle tint pourtant la une des grands journaux américains.

En 1956, Bernstein publia son ouvrage *À la recherche de Bridey Murphy*, un compte rendu de séances d'hypnose. À sa décharge, il convient de préciser que Bernstein n'était absolument pas préparé (comme la plupart de ceux qui avaient participé à cette expérience) à la célébrité que lui valut cette publication. De même n'était-il pas préparé non plus à affronter les réactions consternées qu'un succès si vulgaire provoqua aux échelons les plus conservateurs de l'« establishment »; enfin, l'argent que cela lui rapporta ne tarda pas à lui tourner la tête.

Pendant quelque temps, la fureur soulevée par la publication du livre menaça de jeter le discrédit sur tous ceux qui étaient concernés dans cette affaire, de près ou de loin. Et parce que l'on parlait d'Edgar Cayce dans le premier tiers de cet ouvrage, l'ARE aurait pu aussi souffrir de l'hostilité du public si la cabale menée contre la réincarnation avait abouti.

L'incident provoqué par Bridey Murphy mérite donc davantage qu'une simple mention dans ce volume.

Bernstein, décidé à obtenir tous les détails de l'histoire, posa ses questions avec l'acharnement d'un juge face à un témoin récalcitrant; mais c'était sans compter avec l'intelligence de Ruth Simmons et son désir de s'exprimer.

Bridey, autorisée à parler librement, fut plus que ravie de l'occasion qu'on lui donnait. Elle fut heureuse de pouvoir ainsi bavarder, flattée d'attirer sur elle une attention dont elle n'avait encore jamais bénéficié. Elle était hantée par le désir de plaire et de faire bonne impression; elle n'avait donc aucune envie de se faire passer pour la paysanne illettrée qu'elle était. Elle fit de son mari et de sa famille des gens de la classe moyenne inférieure, qu'elle avait de toute évidence toujours considérée avec une envie et une crainte non dissimulées. Malheureusement, sa vantardise, tout humaine et pardonnable qu'elle fût, ne résista pas aux méthodes de Bernstein, qui avaient tout d'un détecteur de mensonges.

Lorsqu'on écoute les enregistrements, on prend conscience de son étonnement croissant, puis de sa crainte d'être torturée par des membres des classes supérieures. Ses petits mensonges se retournèrent contre elle. Avec une certaine répugnance à s'exposer ou à se rendre ridicule, une forme de regret commença à se manifester chez Ruth. Elle se mit à s'irriter chaque fois que des séances étaient consacrées à sa propre vie et Bernstein fut finalement contraint de la supplier de poursuivre.

Bridey se rappelait très bien tous les détails de moindre importance qu'une servante était censée connaître. Elle se souvenait du nom des différents magasins de la ville, des lectures populaires de l'époque (qu'elle-même n'avait certainement jamais lues), du genre de repas qu'elle servait, des noms régionaux que l'on donnait aux ustensiles domestiques; elle parla aussi du respect que lui inspirait le père Gorman, le prêtre de la paroisse, selon toute vraisemblance un jeune homme plutôt distant, qui s'était résigné à la pauvreté de sa paroisse. La profonde solitude et l'austérité dans lesquelles vivaient les pauvres au début de ce siècle apparaissent en filigrane dans ces enregistrements. Bridey n'avait pour ainsi dire aucun bon souvenir à mentionner; elle vivait presque en esclavage. Elle mourut d'épuisement, vieillie avant l'âge, accablée dans la mort comme elle le fut au cours de sa vie, incapable de progresser au-delà du monde astral primitif qui entoure confusément le périmètre externe de la vie. Dans ce « purgatoire des laissés-pour-compte », la vie après la mort avait pris la forme sinistre d'une usine ou d'une maison de charité.

Bernstein fit preuve de peu de diplomatie en relatant la rencontre de Bridey et du père Gorman. Le père Gorman est décrit comme un homme aussi désorienté que pouvait l'être Bridey et cela ne manqua pas d'offenser le corps religieux, qui dénonça le livre.

Il faut mentionner maintenant deux événements plus troublants. Au fur et à mesure qu'augmentaient le malaise et l'embarras de Bridey, au cours de ses séances avec Bernstein, elle se laissa de plus en plus aller à de pitoyables tentatives visant à l'adoucir. Elle attrapa une grippe de circonstance qui la faisait tousser aussitôt que les questions devenaient agressives ou embarrassantes; ou alors, elle se plaignait d'une imaginaire foulure de la cheville, très douloureuse.

Puis, vers la fin des entretiens, alors que les questions se référaient toujours plus précisément aux dernières années de la vie de Bridey Murphy, une voix se fit entendre par la bouche de Ruth Simmons, que même la plus accomplie des actrices n'aurait pu imiter. C'était une voix faible et gémissante d'une femme de soixante ans, qui parlait avec peine et était complètement résignée à sa pauvreté et à la misère physique dans laquelle elle vivait. L'accent était celui, inimitable par sa régularité et la prononciation des voyelles, des bas quartiers de Belfast – un accent qui n'avait jamais traversé l'Atlantique, qui n'avait jamais été utilisé par les acteurs américains. (Tout ceci a été conservé sur les bandes enregistrées.)

Ruth Simmons était une très mauvaise actrice et n'aurait jamais été capable d'imiter un accent si particulier.

Le comportement de Bridey, dans ces dernières bandes enregistrées, est plus convaincant encore que les preuves matérielles de l'existence de telle ou telle rue à Belfast à cette époque, ou que la description qu'elle donna du « lit de fer » d'enfant qui était le sien.

S'il avait été aussi rusé que la presse l'affirmait, Bernstein n'aurait jamais été naïf au point de publier son livre avant d'avoir accumulé suffisamment de preuves de l'exactitude de ce qu'il avançait. Pour obtenir ces preuves, il aurait tout d'abord autorisé un psychologue à interroger Bridey, puis se serait rendu à Belfast, pour y récolter des détails sur la vie quotidienne au XIXe siècle.

Même s'il avait fait tout cela, il n'est pas certain que son livre ait été bien reçu. Tous ces faits ont été analysés et présentés par C.J. Ducasse, professeur de philosophie à l'université Brown de Rhode Island, dans son livre *A Critical Examination of the Belief in a Life After Death*, publié par Charles Thomas à Springfield, dans l'Illinois, en 1961.

Dans cet ouvrage, le Pr Ducasse consacre treize pages objectives et impartiales à la controverse qui suivit la publication du livre, et qui méritent d'être lues par quiconque s'est intéressé, même de loin, au tumulte qui se déchaîna les années suivantes.

Le Pr Ducasse souleva les problèmes avec calme et bon sens, comme personne ne l'avait encore fait auparavant. Il prit la défense de Bernstein et vint au secours de Ruth Simmons, dont le vrai nom était Mrs Virginia Tighe, de Pueblo, dans le Colorado, la lavant ainsi de tout soupçon de pratique frauduleuse.

Mrs Tighe était née le 27 avril 1923. À l'âge de trois ans, elle fut adoptée par une de ses tantes, Mrs Myrthe Grung, et elle vécut son enfance à Chicago. Lorsqu'elle eut 20 ans, elle épousa un pilote de l'US Air Force, qui mourut au combat un an plus tard.

Virginia épousa en secondes noces Hugh Bryan Tighe, un homme d'affaires de Denver, avec qui elle eut trois enfants. Alors que son mari et ses proches parents étaient « tout à fait opposés à l'histoire de Bridey, pour des motifs religieux », Virginia n'était aucunement préparée à la vague de réactions que souleva le livre de Bernstein, ni aux conséquences que cela entraîna pour les membres de sa famille.

Le magazine *Life* commença à parler de Bernstein en mars 1956, mais c'est le *Chicago American* qui ébruita le plus l'affaire. Cette revue publia une série d'articles négatifs en faisant appel à l'autorité du révérend Wally White, du *Chicago Gospel Tabernacle*, qui avait promis de « démasquer la supercherie de la réincarnation et ses assauts contre les principes bien établis de la religion ».

White prétendit connaître Mrs Tighe depuis sa plus tendre enfance; quant à elle, elle affirma ne l'avoir jamais rencontré avant qu'il vienne chez elle, sans y avoir été invité, en 1956, pour l'informer qu'il était de son devoir de prier pour le salut de son âme.

Courageusement, le *Denver Post* prit la défense de Virginia et de Bernstein, mais il fut réduit au silence lorsque *Life* porta le coup de grâce le 25 juin, en publiant un résumé de l'exposé paru dans le *Chicago American*, ainsi qu'une photographie récente d'une certaine Mrs Bridie Murphy Corkell et de sa famille (dont nous parlerons un peu plus loin).

On put lire aussi à l'époque une curieuse interprétation freudienne, ouvrage écrit conjointement par trois psychiatres de New York qui se proposaient d'anéantir la théorie de la réincarnation. Ce livre, intitulé *A Scientific Report on « The Search for Bridey Murphy »*, connut une fin particulièrement peu glorieuse en restant sur les étagères des grands magasins, qui le proposaient à quarante-neuf sous la copie...

Le Pr Ducasse devait encore préciser ce qui suit à propos du révérend Wally White : « Il semble que l'apparition du nom de ce religieux en tête de plusieurs articles publiés dans le *Chicago American* n'était qu'une astuce pour retenir l'attention de lecteurs pieux mais naïfs. De tels lecteurs, ayant entendu dire que White était le pasteur d'une église que Virginia avait fréquentée, allaient penser qu'il était particulièrement bien placé pour parler de son enfance et de sa jeunesse. D'ailleurs, puisque tous les religieux étaient dignes de confiance, les articles portant la signature du révérend Wally White le seraient aussi. Mais, contrairement à toute attente, les lecteurs ne furent pas aussi crédules. »

Cependant, le comble de la série d'articles publiés par le *Chicago American* fut certainement la découverte de cette Mrs Bridie Murphy Corkell, à Chicago, qui habitait en face de la maison de Virginia et de ses parents adoptifs. Mais bien que les articles affirment qu'elle « s'était rendue à plusieurs reprises au domicile des Corkell », Virginia n'avait jamais parlé à Mrs Corkell.

« De plus, Virginia ne sut jamais que le prénom

de Mrs Corkell était Bridie, et encore moins que son nom de jeune fille était Murphy – si c'était réellement le cas. Car, lorsque le *Denver Post* tenta de vérifier ses assertions, Mrs Corkell ne répondit pas au téléphone. Lorsque l'un de ses reporters, Bob Byers, se renseigna auprès du prêtre de la paroisse à Chicago, celui-ci put bien confirmer que le prénom de la femme était Bridie, mais il ne put prouver que son nom d'alliance était Murphy; du reste, le révérend Wally White en fut également incapable.

» Mais le lecteur pouvait à peine deviner qui était réellement cette Mrs Corkell. Par une "étrange" coïncidence, il se trouva que Mrs Bridie (Murphy) Corkell était la mère du rédacteur responsable de l'édition du dimanche du *Chicago American*! »

Cependant, toute la supercherie de cette affaire apparaît lorsque l'on examine le sort qui fut réservé à la version filmée de cet événement, qui était déjà en cours de tournage dans les studios de la Paramount, sous la direction de Pat Duggan, lorsque l'ordre fut donné d'abandonner le projet.

Le scénariste et réalisateur donna les explications suivantes : « Pour le scénario, j'étais limité par les données du livre de Bernstein, alors que des éléments bien plus convaincants et spectaculaires se trouvaient dans les bandes enregistrées originales. Le moment fatidique du film devait être une scène conçue uniquement pour effrayer le public et le détourner d'une utilisation abusive et irresponsable de l'hypnose; j'en étais même arrivé à imaginer une scène, purement fictive, où un pasteur protestant et un prêtre catholique donnaient leur avis définitif sur la théorie de la réincarnation, considérée comme du paganisme subversif, et sur l'hypnose.

246

» Les salaires prévus pour les deux acteurs principaux étaient modestes, pour ne pas dire dérisoires; mais je pus m'arranger pour convaincre Teresa Wright d'accepter le rôle. Il en alla de même avec Louis Hayward qui, à cause des rôles mineurs qu'il avait joués auparavant, avait été sous-estimé jusqu'alors. Les responsables du studio, au lieu de manifester de l'enthousiasme, se désintéressèrent complètement de ce projet et tournèrent résolument le dos à cette production. Je me retrouvai bientôt presque seul à travailler. Je ne tardai point à appeler notre plateau la "section de contamination". Mon directeur de production avait été avisé, en privé, par des gens haut placés, que le film ne serait jamais achevé, mais que, par contre, moi, je le serais ! Mon monteur, un type dénué d'esprit d'initiative, passa des heures heureuses sur le plateau, mais aucune, si mes souvenirs sont bons, dans sa salle de montage... Rien de ce que je filmais n'allait être monté.

» Nous fûmes en mesure d'empêcher le sabotage du film dans les studios, mais lorsqu'il devint nécessaire pour nous de recourir au laboratoire des effets spéciaux – nous avions des séquences avec des fantômes et des dissolutions matérielles du Colorado actuel jusqu'en Irlande dans les années 1860 – on nous informa que Cécil B. De Mille avait réquisitionné le laboratoire pour son film *Les Dix Commandements*. On demanda alors que ces séquences soient réalisées dans un laboratoire d'effets spéciaux privé. On nous répondit que c'était impossible. Finalement mon cameraman, Jack Warren, fit toutes ses doubles expositions sur le plateau, n'utilisant rien de plus sophistiqué qu'un prisme, un miroir et une plaque de verre d'un mètre de longueur, peinte en noir à une extrémité, graissée

247

avec de la vaseline au centre et sans rien à l'autre extrémité. Cet "appareil", lorsqu'on le faisait coulisser lentement devant l'objectif, faisait deux fois plus d'effet qu'un procédé de laboratoire moderne.

» Pourtant, le pire était encore à venir. Le magazine *Life* avait jusqu'alors accordé une attention toute particulière à la folie de Bridey Murphy. Mais, au milieu du tournage, *Life* lança la rumeur selon laquelle toute cette histoire n'était qu'une mystification.

» Notre budget était limité et nous tournions entre quatre et dix minutes de film par jour (c'était alors une bonne moyenne). Mais de la "section de contamination", nous fûmes relégués à la "colonie des lépreux" : certains voulurent interrompre complètement cette production et je me retrouvai alors tout à fait seul. Le tournage s'acheva finalement à temps, mais cinq minutes seulement du film avaient été montées. Je pus m'arranger pour faire remplacer le monteur à la dernière minute et, dans le peu de temps qui nous restait, il nous fallait mettre en valeur la performance de Teresa, puis tenter d'en faire autant pour Hayward. Teresa avait vraiment fait merveille. Mais il nous aurait fallu une semaine supplémentaire pour donner à son rôle sa juste valeur. Malheureusement, cette semaine supplémentaire ne nous fut pas accordée.

» Même dans sa version tronquée, le film rencontra un franc succès lors de sa projection en avant-première dans un petit cinéma de banlieue, à Glenwood. Cela aurait dû encourager les producteurs à nous laisser terminer le travail, ne serait-ce que pour préserver les intérêts des financiers. Mais jamais plus je n'entendis parler de ce film.

» Lorsqu'il fut dans le circuit de la distribution,

la presse n'en fit aucune mention et il tomba aussitôt dans l'oubli.

» Personne à Hollywood ne le vit jamais, sous peine d'être considéré comme un subversif. Quant à moi, je fus traité des pires noms. »

Un fossé sépare cet épisode des années 50 du succès de la comédie musicale d'Alan J. Lerner, à Broadway en 1966 : *On a Clear Day You Can See Forever*. Les années qui séparent ces deux événements ont vu la progression de la théorie de la réincarnation dans l'opinion publique; elle pouvait s'exprimer maintenant librement sur la scène de Broadway, grâce à la performante production de Lerner.

La plupart des critiques la trouvèrent un peu trop en marge de l'orthodoxie pour l'accueillir cordialement, mais le public se fit cette fois sa propre opinion. En fait, le spectacle se joua à guichets fermés pendant six mois, dès la première représentation au Mark Hellinger Theater.

L'intrigue est centrée sur l'histoire d'une jeune femme, mannequin à Brooklyn, et patiente d'un jeune et beau psychiatre. Il la fait remonter, par hypnose, à une vie antérieure au XVIIIe siècle en Angleterre et l'on suppose (bien que cela ne soit jamais clairement dit) qu'il fut à cette période son amant volage.

Le psychiatre tombe alors amoureux de la belle Anglaise, Melinda, pendant que son double contemporain, Daisy, tombe amoureuse de lui, se frustrant ainsi mutuellement.

Dans la vie qu'elle mena en tant que Melinda, l'héroïne périt en s'enfuyant en Amérique sur le vaisseau *Trelawney*. En tentant d'échapper à l'emprise de son psychiatre, Daisy va à l'encontre d'un destin presque identique en réservant une place sur un vol transatlantique, aussi appelé – pourquoi pas ? – *Trelawney*.

C'est le richissime armateur grec Kriakos qui représente la conception erronée et populaire de la réincarnation : il offre une fortune au psychiatre afin que celui-ci lui dise qui il sera dans sa prochaine vie, de manière à pouvoir se léguer ses millions à lui-même par avance.

L'authenticité de l'amour de Daisy sauvera sa vie. Finalement, elle autorise sa personnalité antérieure à faire sa réapparition et à prendre l'avantage sur sa personnalité actuelle. Mais avant cet heureux dénouement, le public est clairement mis au courant des recherches effectuées au cours de la dernière décennie concernant la réincarnation. Lerner affirme : tout cela sera bientôt accepté par la société; c'est là la logique psychiatrique de demain.

Dans le numéro de novembre 1965 de la revue *Atlantic Monthly*, figure une interview de M. Lerner où il déclara : « Quelqu'un me demandait si je considérais la pièce comme fictive, parce qu'elle traitait des possibilités de la réincarnation; j'ai répondu : "Non ! Et je ne suis pas le seul. Cinq cents millions d'hindous pensent comme moi !"

» La seule chose qui me surprenne au sujet de cette pièce est que je ne l'aie pas écrite plus tôt. La perception extrasensorielle m'a intéressé tout au long de ma vie... Seulement 22 % de notre cerveau est effectivement utilisé. Il doit bien se passer quelque chose dans la partie non utilisée. Personnellement, je n'ai jamais fait d'expériences extrasensorielles, hormis une, minime, lorsque j'écrivais *Brigadoon*.

» Le premier acte de *Brigadoon* se terminait sur un mariage, qui devait se dérouler en dehors de l'église. J'essayai de m'imaginer pourquoi, au XVIIe siècle en Écosse, les gens se mariaient hors des églises et, si c'était le cas, comment pouvait bien se dérouler la cérémonie.

» Plusieurs années plus tard, je me trouvai à Londres... et je tombai par hasard sur un livre intitulé *Everyday Life in Old Scotland* – et j'y retrouvai le déroulement de ma cérémonie de mariage, mot pour mot !

» Lorsque je commençai à penser sérieusement à ma comédie musicale sur la réincarnation, je réalisai qu'au cours des mois qui venaient de s'écouler j'avais été de plus en plus excédé par les explications des psychologues et des psychanalystes rendant compte du comportement humain. J'étais dégoûté par la théorie psychanalytique, selon laquelle nous vivions dans un monde où il n'y avait plus de bien, mais des arrangements; où il n'y avait plus de mal, mais des incompatibilités. La psychanalyse était une espèce de religion qui ne me satisfaisait pas, qui ne laissait aucune place à la vie dans l'au-delà, ni à l'essence divine. Je voulus trouver une manière de dire qu'il n'est pas possible de réduire notre personnalité à un raisonnement rationnel; qu'une grande partie de notre être nous est encore inconnue; qu'il y a en nous-mêmes de vastes mondes encore inexplorés et qu'il y a encore des choses passionnantes à contempler. »

1966 fut également l'année de la publication par le Dr Ian Stevenson de *Twenty Cases Suggestive of Reincarnation*, que nous allons examiner maintenant. Avec cet ouvrage, la réincarnation se voit attribuer sa pleine dignité en étant acceptée par un professeur distingué du Département de neurologie et de psychiatrie de l'École de médecine de l'université de Virginie.

14

Les travaux du Dr Ian Stevenson

Le Dr Stevenson, à la tête d'un groupe de chercheurs d'avant-garde s'étant fixé pour objectif de prouver l'évidence de la réincarnation, a voyagé aux Indes, au Sri Lanka, au Liban et en Alaska. En 1966, il publia le résultat de ses recherches sous le titre de *Twenty Cases Suggestive of Reincarnation*, publié par l'American Society for Psychical Research, à New York.

La caractéristique qui distingue les cas de réincarnation orientaux des cas occidentaux est le très bref intervalle qui sépare la mort des âmes de leur renaissance. Alors que les Études de Cayce mesuraient l'intervalle entre les renaissances en termes de siècles ou de demi-siècles, dans les cas étudiés par le Dr Stevenson, cette moyenne était de dix ans ou même moins... c'était parfois instantané, comme dans le cas de ce jeune hindou de 22 ans, empoisonné par un de ses débiteurs, qui s'était réincarné dans le corps d'un garçon de 3 ans et demi, lui-même mort des suites d'une maladie. Le petit garçon revint donc à la vie et s'identifia complètement aux caractéristiques et à l'histoire du jeune homme de 22 ans; il fut même capable de décrire les membres de sa famille précédente et de les reconnaître lorsqu'on les lui présenta.

L'exemple le plus convaincant, que le Dr Stevenson put observer au Liban en 1964, concernait un garçon de cinq ans, Imad Elawar, qui habitait dans le village de Kornayel. Avant d'avoir atteint deux ans, il avait déjà fait référence à sa vie antérieure. Imad avait la chance d'avoir des parents tolérants qui le laissèrent s'exprimer librement.

Il affirma avoir vécu, au cours de sa vie antérieure, dans le village de Khriby, à environ 35 kilomètres de là, sous l'identité d'Ibrahim Bouhanzy, qui était mort de la tuberculose le 18 septembre 1949. Imad fut en mesure de répéter exactement les dernières paroles d'Ibrahim avant de mourir, il identifia correctement les membres encore vivants de sa famille et il ne cessait jamais de mentionner avec beaucoup d'affection une certaine Jarmile, qui était la maîtresse d'école d'Ibrahim. De même, le village et la maison d'Ibrahim semblaient parfaitement familiers à Imad. Le Dr Stevenson fit le voyage jusqu'au village d'Ibrahim avec Imad et sa famille et parla ainsi des 57 objets que l'enfant put mentionner de mémoire : « Sur les 57 objets, Imad put m'en décrire 10 durant le trajet qui nous mena à Khriby. Sur ces 10, 3 seulement avaient été décrits de manière erronée. Pour les 47 autres objets, Imad se trompa trois fois seulement. Il est fort probable qu'avec l'excitation du voyage... il avait mélangé les souvenirs de sa vie antérieure avec ceux de sa vie actuelle. »

Le Dr Stevenson vérifia tout avec minutie, auprès des deux familles. La plupart des preuves s'imposèrent d'elles-mêmes. Ni l'une ni l'autre des familles n'avait d'intérêt à mentir et il était peu probable qu'elles se soient concertées et aient consacré tant de temps à accumuler de fausses preuves pour le seul plaisir de voir leur nom figurer dans les journaux. D'ailleurs, l'accueil réservé au Dr Stevenson, dans la plupart des familles hindoues où il se rendit, fut nettement hostile, du moins au premier abord.

Dans le cas de Jasbir, cet enfant de 3 ans et demi dont le corps était « possédé » par un hindou de 22 ans, Sobha Ram, l'embarras dans lequel il mettait sa famille était encore aggravé par son refus de manger autre chose que de la nourriture brahmane, qui devait être préparée et cuite spécialement pour lui par un voisin brahmane.

Quiconque est un peu familiarisé avec les lois implacables des castes hindoues comprendra aisément qu'un Jat préférerait se laisser mourir de faim plutôt que de manger de la nourriture brahmane. Il est également difficile de concevoir qu'un enfant de l'âge de Jasbir se comporte soudain avec l'autorité d'un jeune homme de 22 ans.

« Durant mon séjour, écrit le Dr Stevenson, j'ai pu remarquer à plusieurs occasions qu'il ne jouait pas avec les autres enfants, mais qu'il restait isolé, à l'écart des autres. Cependant, il parlait volontiers avec mon interprète, malgré l'expression d'infinie tristesse qui transparaissait sur son visage. »

La famille brahmane de feu Sobha Ram aurait bien voulu s'occuper charitablement du petit Jasbir, mais la famille Jat de ce dernier ne pouvait accepter ce rapprochement avec une famille d'une caste supérieure; de plus, leur opposition à la famille « antérieure » de leur fils atteignit son apogée dans leur refus obstiné de le laisser rencontrer sa propre « veuve ».

« Les lecteurs sont avides de savoir, comme je le fus moi-même, conclut le Dr Stevenson, quel récit Jasbir fit des événements qui se produisirent entre la mort de Sobha Ram et la renaissance de Jasbir avec les souvenirs de Sobha Ram.

» À cette question, Jasbir ne répondit qu'en 1961 : après sa mort (en tant que Sobha Ram), il fit la rencontre d'un Sadhu (une sorte de saint) qui lui conseilla de "chercher refuge" dans le corps de Jasbir.

» Bien que la mort "apparente" de Jasbir intervînt vers le mois d'avril ou mai 1954, proche de la date reconnue de la mort de Sobha Ram, il nous est impossible de savoir si le changement de la personnalité de Jasbir est intervenu immédiatement au cours de la nuit où son corps sembla mourir puis renaître aussitôt...

» Dans les semaines qui suivirent, Jasbir était encore gravement atteint par la maladie, à peine capable de se nourrir, et ne disposait pas encore d'une personnalité quelconque. Ainsi, le changement de personnalité a pu intervenir soit rapidement, soit graduellement durant les semaines qui ont suivi la mort apparente de Jasbir. »

Au niveau de la documentation et des preuves accumulées, ce cas est absolument unique. Dans la plupart des cas, l'âme reçoit le signal de départ de son corps avant la conception de son corps suivant, même en cas de mort violente.

L'allusion au Sadhu qui devait diriger Sobha Ram pour aller « chercher refuge » dans le corps mort, ou mourant, de Jasbir fait penser à une urgence, à un mauvais fonctionnement des lois naturelles de la création. Edgar Cayce admettait lui-même que parfois « il y avait des erreurs, même au firmament ». Il laissait également entendre que le premier niveau astral était primitif, en cela qu'il ressemblait, sous certains aspects, au niveau terrestre et qu'il pouvait être habité par les formes de pensée d'âmes retardées ou non encore développées, capables de prendre toutes les formes menaçantes du cauchemar.

Si l'on suppose que la mort prématurée et inattendue de Sobha Ram, résultant d'un empoisonnement, n'avait pas été précédée des lois karmiques auxquelles elle devait normalement se conformer, il est alors possible qu'il ait été vulnérable aux assauts de quelque âme vengeresse et hostile, qui attendait justement une telle occasion pour lui demander des comptes.

Dans l'état de confusion et de désorganisation où il se trouvait, incapable de se défendre, un des « surveillants » ou des « anges gardiens » aurait très bien pu lui apparaître sous les traits d'un Sadhu et lui montrer ainsi le seul refuge qui lui restait – l'enveloppe charnelle inhabitée de l'enfant qui venait de mourir.

Il pouvait s'agir là d'une mesure toute provisoire, qui devait se prolonger tant qu'il y aurait un quelconque danger au premier niveau astral, jusqu'à ce que Sobha Ram puisse atteindre en toute sécurité un niveau plus élevé et plus sûr. (Là encore, nous recourons à l'argumentation de Cayce selon laquelle les forces du mal, quels que soient leur puissance ou leur entêtement, peuvent toujours être repoussées par des prières émanant d'une source pure et responsable.)

Toutefois, il serait possible d'imaginer que Sobha Ram, une fois réincarné dans les confins matériels de la chair humaine, fût incapable d'en ressortir. Il aurait alors été contraint de rester « lié à la terre » par l'intermédiaire de Jasbir, le temps que celui-ci vive le nombre d'années que nécessitait sa propre mémoire karmique. Mais heureusement pour lui, les souvenirs de sa vie antérieure allaient graduellement s'estomper.

La réincarnation dans le Grand Nord

Les Esquimaux du nord-ouest de l'Alaska, les Aleutes à l'ouest et les Indiens tlingits dans le Sud-Est, basent toutes leurs croyances religieuses sur la réincarnation. Les Tlingits vont encore plus loin dans la personnalisation en croyant que les âmes retournent presque instantanément dans leurs propres familles.

Entre 1961 et 1965, le Dr Stevenson a rendu quatre fois visite aux Tlingits, obtenant des témoignages sur trente-six cas reconnus de réincarnation. Ces renseignements ne furent pas trop difficiles à collecter, la plupart de ces Indiens parlant l'anglais et plusieurs de ceux affirmant avoir été réincarnés gardant des traces de « sympathie », dans leur vie actuelle, qui leur permettaient de se souvenir de la manière dont ils étaient morts dans leur vie antérieure.

En 1949, un pêcheur tlingit de 60 ans, William George, dit à son fils et à sa belle-fille qu'il désirait être réincarné sous les traits de leur fils. Il leur promit qu'ils le reconnaîtraient grâce aux taches de naissance qu'il avait déjà et leur donna sa montre en or pour qu'ils la lui gardent. Quelques semaines plus tard, il disparut sans laisser de trace, alors qu'il était parti pêcher. À peine neuf mois plus tard, sa belle-fille donna naissance à un garçon « qui avait des taches de pigmentation sur le haut de l'épaule gauche et sur l'avant-bras gauche, exactement à l'endroit où le grand-père en avait eu lui-même ».

En grandissant, l'enfant développa un modèle de comportement semblable à celui de son grand-père;

il alla même jusqu'à boiter comme lui, son grand-père s'étant blessé une fois en jouant au basket-ball. Avant l'âge de 5 ans, le garçon reconnut sa montre en la subtilisant de la boîte de bijoux de sa mère, où celle-ci l'avait rangée; le garçon insista pour dire que c'était sa montre. Il disait de ses oncles qu'ils étaient ses « fils » et de sa grand-tante qu'elle était une « sœur ».

Le Dr Stevenson écrivit à ce sujet : « Très tôt, il fit preuve de bonnes connaissances dans le domaine de la pêche et des bateaux. Il était bien plus effrayé par l'eau que les enfants du même âge que lui. Il était aussi plus grave et plus sensible qu'eux. »

Le cas d'un autre Tlingit est encore plus frappant : il s'agit de Victor Vincent (Kahkody était son nom tribal), qui mourut en 1946.

L'année précédant sa mort, il dit à sa nièce préférée et à son époux, Corliss Chotkin, qu'il voudrait bien renaître sous les traits de leur enfant et il leur promit qu'ils le reconnaîtraient grâce à ses cicatrices – l'une sur l'aile de son nez et l'autre sur le dos –, suites d'une intervention chirurgicale.

Dix-huit mois plus tard, Mrs Chotkin donna naissance à un fils, qui avait des taches de naissance aux endroits précis où Vincent avait ses cicatrices. À treize mois, il fit interrompre les efforts que faisait sa mère pour lui apprendre son nom, Corliss Chotkin junior, en demandant : « Ne me reconnais-tu donc pas ? Je suis Kahkody ! »

À l'âge de 2 ans, il identifia celle qui fut auparavant sa belle-fille, Susie, son fils William, ainsi que sa propre veuve. Il continua à se souvenir de détails aussi étonnants jusqu'à l'âge de 9 ans; puis sa mémoire commença à s'effacer, pour devenir tout à fait inactive dès l'âge de 15 ans.

Le Dr Stevenson a catalogué méticuleusement chacun des cas qu'il a étudiés. Il a donné son opinion et fait part de ses doutes dans les moindres détails. Son livre se révèle être néanmoins un assemblage de faits incontestables. Dans sa conclusion, il n'affirme pas avoir prouvé l'existence de la réincarnation; mais l'évidence de ce phénomène n'a jamais été présentée par quelqu'un de plus autorisé que lui.

15

La loi de grâce

La manière la plus simple d'illustrer le principe
de la loi de grâce est de la montrer en action.

Anthony Hollis était tombé amoureux d'une jeune
fille, à l'université, dans le Connecticut. Il la perdit
au profit de son meilleur ami, sans pour autant
qu'il y ait une dispute, et l'Étude que fit pour lui
Edgar Cayce lui apprit que la mémoire de son
subconscient n'avait pas cessé d'être en bons
termes avec lui : deux fois déjà dans le passé, il
avait été marié avec cette femme et les deux fois,
elle lui avait été infidèle. L'Étude fit même mention
d'une vie passée dans l'ancienne Égypte, au cours
de laquelle elle était partie avec le même ami ! Il
n'y eut pas plus de détails d'une éventuelle autre
vie avec elle, mais c'était suffisant pour que la
violence et la tragédie ne les lâchent plus.

Hollis avait tiré parti de cette occasion pour
obtenir d'autres Études d'Edgar Cayce; à force de
mettre en pratique, du mieux qu'il pouvait, la morale
qu'elles lui enseignaient, il devint ce que l'on peut
appeler un « bon chrétien ». Il fit un bon mariage
et ne tarda pas à oublier complètement son aventure à l'université. En 1944, il fut appelé dans le
service actif et il commença son entraînement

comme officier de transports à Fort Eutis, en Virginie.

Un jour, il avala par mégarde un noyau de pruneau qui resta pris en travers de sa gorge; il dut se rendre à l'infirmerie pour le faire enlever. Il oublia aussitôt l'incident. Mais, alors qu'il était basé en Angleterre, peu avant le jour J du débarquement sur les côtes françaises, il s'étouffa de nouveau, cette fois avec un morceau de cartilage. Là encore, le cas fut assez sérieux pour nécessiter l'assistance d'un médecin. À cette époque, il lui était impossible de demander l'aide d'Edgar Cayce et lorsqu'Anthony Hollis connut pour la troisième fois semblable mésaventure, alors qu'il était en Allemagne avec les troupes d'occupation, Edgar Cayce était déjà mort. Chaque incident fut plus grave que le précédent! En Allemagne il faillit mourir...

Après la guerre, de retour en Amérique, il était en train de dîner avec un de ses amis, à New York, lorsqu'un os de poulet lui resta en travers de la gorge. On le conduisit en urgence à l'hôpital le plus proche, où un médecin inexpérimenté perdit de précieuses minutes à lui faire un test au baryum « pour prouver que l'étouffement était d'origine psychosomatique ».

Lorsqu'on le conduisit finalement jusqu'à la salle d'opération, Hollis avait presque perdu connaissance; alors que les médecins s'affairaient, il se trouva confronté à un visage étrange et vindicatif, à l'abondante tignasse jaune et sale. Il se sentit précipité encore plus profondément dans ce niveau de conscience jusqu'à ce qu'il « émerge » à nouveau avec l'autre personnalité et qu'il découvre finalement qu'il s'agissait de lui-même. Les environs suggéraient vaguement un pays nordique, quelque neuf ou dix siècles plus tôt... Il se trouvait en face d'une jeune femme. Sa rage et sa tristesse étaient infinies, il était au bord de commettre un homicide; il savait qu'elle lui avait été infidèle. Il savait qu'elle était sa femme; mais il ne savait rien de plus.

Exactement au moment où cela se passait, un de ses amis à San Francisco reçut une sorte de « photo-image » vivante du même visage démentiel, associée au personnage de Hollis. Cependant, il n'y avait aucune femme dans cette hallucination. Hollis était enchaîné au mur d'un donjon, parmi d'autres hommes en haillons. Cette vision fut assez vivace pour que son ami téléphone le lendemain à Hollis, considérablement perturbé. Lorsque Hollis et son ami comparèrent leurs impressions, il ne restait pas l'ombre d'un doute : ils avaient tous deux vu le même visage.

Hollis rechercha les transcriptions de ses Études, mais nulle part il ne trouva une quelconque référence à « un homme à la chevelure jaune et sale ». Les Études avaient mis l'accent sur la caractéristique karmique d'un tempérament emporté, que Hollis avait grand-peine à contrôler. Dans les notes, pleines de tact et de prudence d'Edgar Cayce, il y avait des allusions à des dettes karmiques devant encore être acquittées. Les Études suggéraient avec insistance à Hollis, au lieu de suivre à la lettre le principe « œil pour œil, dent pour dent », d'essayer de pardonner et de prier.

La tâche semblait particulièrement ardue pour un homme du XXe siècle qui avait apparemment détesté une femme, en Norvège, au VIIIe ou IXe siècle de notre ère. Mais Hollis tenait son sort dans ses mains. Moins d'une semaine plus tard, il fit à nouveau le même rêve macabre. Cette fois, la femme qui se trouvait en face de lui avait pris les traits de la jeune fille qui l'avait trompé lorsqu'il était à l'université et il était en train de l'étrangler. Au niveau qu'il occupait maintenant entre le rêve et le rétablissement des impulsions karmiques, Hollis commença à prier avec toute l'intensité et la foi dont il disposait. Il pria pour avoir la force spirituelle de pardonner à la femme qu'il était en train d'étrangler; il pria pour que fût pardonné son adultère; il pria pour lui-même, afin d'être pardonné de l'avoir tuée. Quiconque s'est retrouvé une fois en train de prier sur son lit de mort et en est revenu pourra le confirmer : lorsqu'elle atteint un certain stade, la prière est source de tant d'énergie qu'elle permet de surmonter toutes les forces qui s'y opposent.

Quand il se réveilla, le lendemain matin, Hollis se sentit soulagé d'un grand poids, un sentiment de liberté qu'il n'avait encore jamais éprouvé auparavant l'envahit; il garda cette impression jusqu'à la fin de la semaine. Pourtant, il n'avait aucune raison de croire que ses prières l'avaient définitivement libéré du joug karmique qui avait pesé si lourdement sur ses épaules. En fait, cela dura jusqu'à ce que son téléphone sonne et qu'il entende la voix de sa victime.

Elle avait depuis longtemps divorcé de son mari et s'était remariée. Son second mariage s'était également effondré; maintenant qu'elle était riche, elle parcourait le monde sur de luxueux paquebots, avec ses enfants, inconsolable et frustrée. Sans raison aucune, alors que le bateau sur lequel elle se trouvait avait accosté à New York, elle avait repensé soudain à Hollis en regrettant ce qu'elle lui avait fait; elle lui avait aussitôt téléphoné. « J'espère que tu m'as pardonné maintenant ? Je me suis si mal conduite avec toi ! »

Dans un élan sincère de gratitude et de soulagement, Hollis lui assura avec ferveur qu'il lui avait pardonné.

Quelle avait été l'alternative karmique de Hollis ? S'il avait agi moins intelligemment, la fréquence et la gravité de ses étouffements se seraient aggravées, jusqu'à ce qu'il en meure. Sa dette était envers lui-même, pour avoir une fois commis un meurtre. Le fait que, dans sa vie présente, la jeune fille l'ait fait souffrir une fois encore de la même trahison n'avait pas suffi à le délivrer des contingences karmiques. Le meurtre avait été commis : la Loi lui demandait toujours de rendre des comptes. Ainsi, chaque fois que sa gorge était obstruée par quelque chose, les symptômes qu'il ressentait n'étaient pas ceux d'un étouffement ordinaire, mais bien ceux d'une strangulation.

Mais il prouva par son attitude envers la jeune fille qu'il n'éprouvait plus de rancune et ne lui voulait aucun mal. Aussitôt disparues la fierté et la vanité, toutes les complications disparaissaient également; Hollis se trouva face à une situation claire et en sa faveur.

La source du pouvoir et de la concentration que Hollis put mettre dans sa prière finale de pardon se trouve exprimée dans toute sa simplicité dans les paroles suivantes : « L'expérience de la vie est une manifestation d'ordre divin. L'esprit d'une entité est le créateur. Puis, comme l'entité se met à accomplir ce qui est créatif, tout dépend de la loi qui régit les rapports entre le karma et la grâce. L'entité ne se trouve dès lors plus sous l'influence de la loi de cause à effet, ou de karma, mais plutôt, par l'intermédiaire de la loi de grâce, elle peut s'élever pour aller à Sa rencontre. »

« On peut être certain de l'application de cette loi, dit une fois Cayce à propos d'une situation similaire. Car au commencement de l'homme, lorsqu'il était en train de devenir une âme vivant sur terre, les lois étaient déjà établies. Mais ne perdez jamais de vue la loi de grâce, la loi du pardon et celle de la patience. Car chacune mérite sa place – spécialement lorsque des individus désirent que Dieu s'exprime au travers d'eux. »

Le désespoir inutile d'une âme résignée

Le cas qui nous intéresse ici est celui de Vera Aldrich, une femme de ménage âgée de 53 ans. Nous pourrons constater l'erreur commise par une âme déjà avancée mais dont le cheminement a été physiquement trop pénible à supporter; c'est-à-dire qu'elle ne put pas s'acquitter des dettes karmiques et que, pour cette raison, elle fut hantée par les erreurs commises dans le passé.

« Pourquoi devrais-je accepter de vivre cette vie avec un corps physiquement diminué ? Il me semble avoir passé par l'enfer. J'ai toujours eu le désir de me mettre au service de l'humanité, mais je n'en avais pas la force... des angines, une anémie chronique, et ainsi de suite depuis ma plus tendre enfance. Pourquoi ai-je été amenée à vivre dans un corps aussi malade ? Ai-je commis un crime impardonnable dans le passé ? »

Les réponses que donna Edgar Cayce à cette femme étaient heureusement rassurantes.

« L'entité s'est trouvée associée à une autre qui persécuta l'Église avec virulence et qui se réjouit tandis que Rome brûlait, sous le règne de Néron. C'est la raison pour laquelle cette entité a été diminuée dans son corps actuel.

» Toutefois, il n'y a pas de quoi s'alarmer ! Car,

au cours de ses diverses expériences sur terre, l'entité a progressé d'un niveau relativement bas à un point où une nouvelle réincarnation n'est même plus jugée nécessaire.

» Non qu'elle ait atteint la perfection. Mais souvenez-vous que la matière existe à d'autres niveaux de conscience, pas seulement dans nos trois dimensions... Il est d'autres royaumes où l'entité peut s'instruire, pour autant bien sûr qu'elle suive les idéaux de ceux dont elle s'était autrefois moquée (les chrétiens à Rome).

» On pourrait en dire davantage, mais alors on diminuerait l'importance des fautes pour laisser trop de place aux vertus. Mais rien, ou presque, ne pourra détourner l'entité de la voie qu'elle a choisie; car, tel Josué vers la fin de sa vie, elle est bien déterminée à "laisser les autres faire ce qu'ils veulent, mais en ce qui la concerne, elle servira notre Dieu vivant !".

» Quant aux capacités de l'entité : qui voudrait glorifier le soleil levant ? Qui oserait dire aux étoiles comment scintiller de beauté ? Garde en toi cette foi qui t'a inspirée ! Nombreux sont ceux qui réaliseront des gains grâce à ta patience, ta constance et ton amour ! »

Cette femme, grâce à sa générosité et à son dévouement, avait obtenu la grâce sans même le savoir. Elle était parvenue au terme de ses longues divagations karmiques.

« On peut en être certain, les individus croissent dans la grâce, la connaissance et la compréhension; et lorsqu'ils s'appliquent à faire ce qu'ils savent, l'étape suivante leur est indiquée. Car telle est Sa promesse : "Je serai toujours avec toi, même jusqu'à la fin du monde." Il était avec toi dès le commencement. Tu t'es éloignée de lui... »

Gladys Turner Davis, la secrétaire d'Edgar Cayce depuis 1923, a assuré la transcription de la quasi-totalité des Études et elle lui est toujours restée fidèle, même après sa mort. Aucun autre membre de l'ARE n'était plus familier qu'elle du travail de Cayce et elle illustre mieux que quiconque l'application de la loi de grâce à la vie quotidienne. À son avis, Edgar avait rarement déclaré qu'une âme était suffisamment développée pour ne pas avoir besoin de revenir sur terre.

Après la mort d'Edgar Cayce, elle lui rendit cet hommage :

« Je ne puis me souvenir que de trois individus s'étant plaints de l'inexactitude de leur Étude de vie – seulement trois sur quelque 2 500 cas !

» Depuis la mort de M. Cayce, en constituant les dossiers des Études, nous n'avons rencontré qu'un seul cas de protestation – il s'agissait d'une mère se plaignant de ne rien trouver de "personnel" dans l'Étude faite pour sa fille âgée de six ans.

» Plusieurs fois, des Études de vie faites pour des enfants n'ont pas été prises au sérieux par les parents, mais se sont révélées entièrement exactes par la suite. Revenons quelques instants sur ces Études qui furent désavouées. Même si une Étude sur vingt-quatre avait été fausse – ce serait là un pourcentage encore jamais égalé dans le domaine de la recherche psychiatrique et psychologique !

» Ceux de nous qui connaissent par expérience la valeur de ces Études ne sont pas seulement des privilégiés; ils doivent, pour suivre la voie de la perfection, porter le flambeau de la réincarnation, non seulement pour l'avènement de cette théorie, mais aussi au nom d'un mode de vie chrétien. Car, comme il l'avait enseigné : "Celui, conçu à l'image de Dieu, peut se considérer comme l'égal de Dieu."

» Mais que signifient ces Études pour les millions de gens qui n'en ont même jamais entendu parler et qui ne se sont pas souciés qu'un homme sacrifie sa vie pour eux ? Que vont-elles signifier pour les générations futures ?

» L'on reconnaît généralement que les témoignages de deux ou trois personnes suffisent à établir la vérité, légalement parlant. Nous disposons de plus de 2 000 exemples d'analyses correctes, qui indiquent les capacités et le caractère des personnes, sur la base des souvenirs akashiques de leurs vies antérieures.

» Par une analyse minutieuse et l'étude attentive de ces cas, beaucoup seront convaincus qu'il nous est possible d'atteindre à la compréhension des facteurs de base qui gouvernent les pensées et les sentiments de l'homme. Car ces Études de vie représentent autant d'interprétations des lois spirituelles fondamentales appliquées, il faut le reconnaître, aux problèmes personnels de chaque individu. En se penchant sur un certain nombre d'exemples, nous devrions être capables d'apprendre la manière d'appliquer ces mêmes lois à nos propres problèmes. »

16

Le karma de groupe

Les survivants de Fort Dearborn

Edgar Cayce, au cours de sa vie antérieure sous les traits de l'éclaireur Bainbridge, avait sillonné la nouvelle Amérique depuis la frontière canadienne jusqu'à la Floride, à l'image de tous les pionniers de cette époque.

Le point de chute de ses diverses expéditions avait été Fort Dearborn, un poste de ravitaillement se trouvant à l'emplacement de l'actuel Chicago. C'est là qu'il noua les liens les plus étroits avec ses futurs compagnons. Fort Dearborn était un endroit où il ne faisait pas bon vivre : il fallait souvent subir les assauts d'Indiens hostiles; ceux qui habitaient là travaillaient dur et... s'adonnaient à la débauche. Les puritains n'étaient pas absents de cette petite ville, qui ne manquait pourtant pas, et de loin, de tavernes, de salons de jeu et de maisons closes.

Le souvenir de cette vie était à ce point vivace dans l'esprit d'Edgar Cayce qu'il regrettait le langage particulier qu'il parlait en ce temps, la cour qu'il faisait aux dames et toutes les occasions qu'il avait laissées passer. Malgré l'ambiance générale,

Cayce ne s'était jamais laissé tenté par le démon du jeu et il ne buvait d'alcool qu'à de très rares occasions.

Bainbridge se lia d'amitié avec Fran Barlowe, la fille d'un commerçant qui demeurait dans un poste de ravitaillement proche de Fort Dearborn. Elle faisait partie d'une famille nombreuse, quelque peu envahissante et, à l'âge de 17 ans, elle saisit l'occasion d'échapper à ce milieu en suivant un jeune tavernier peu recommandable qui alla s'établir à Fort Dearborn. Sa taverne n'était qu'une façade destinée à cacher des salles de jeu où la tricherie régnait en maîtresse absolue. Cette taverne était le repaire favori de Bainbridge quand il se trouvait à Fort Dearborn.

Fran sympathisa avec la mère maquerelle de l'établissement, par ailleurs bien intentionnée, qui se faisait un honneur d'accomplir sa tâche du mieux qu'elle pouvait, pour « satisfaire à toutes les demandes ». Fran entra d'autre part en conflit avec un prêtre qui désapprouvait son travail et celui de ses consœurs, et condamnait sévèrement l'un de ses sacristains qui priait pieusement chaque jour mais fréquentait assidûment l'établissement le soir et avait même trouvé le temps de courtiser la sœur du prêtre – une romance qui n'alla d'ailleurs pas bien loin, au plus grand désespoir des amants. Mais peu à peu, Fran améliora sa conduite et renonça à certaines de ses relations les moins recommandables. Cependant, ces dépravations ne cessèrent vraiment que le jour où le fort fut envahi et totalement brûlé par les Indiens.

Bainbridge – en plus du grand bien qu'il avait déjà fait en tant qu'éclaireur dans la région – porta' secours à l'un des groupes les plus importants qui avaient survécu à ce massacre et l'emmena sain et sauf jusqu'à la rivière Ohio, où l'on construisit un radeau de fortune avec des troncs d'arbre pour traverser le fleuve vers sa rive est.

Des tribus d'Indiens les poursuivirent encore quelque temps et Bainbridge dut se résoudre à se laisser descendre au gré des flots jusqu'à ce qu'ils puissent tous accoster en toute sécurité. Dans l'impossibilité de s'arrêter pour se ravitailler, même la nuit, les rescapés, exténués, ne tardèrent pas à mourir de faim ou à succomber à des accidents; ce fut le cas de Bainbridge, qui parvint néanmoins à sauver la vie de Fran; lorsque le radeau accosta finalement et que le reste de ses occupants furent secourus par des Indiens plus pacifiques, Fran prit le chemin de la Virginie, où elle recommença une nouvelle vie.

En 1812, Fran était la propriétaire d'une modeste pension; son amabilité et sa générosité lui avaient valu le surnom d'« ange serviteur ». Elle mourut à l'âge de 48 ans, honorée et respectée, les écarts commis dans sa jeunesse ayant été, apparemment, pardonnés et oubliés. Mais le cycle de la vie à Fort Dearborn n'avait pas eu le temps de s'accomplir normalement. La dispersion des familles après l'attaque des Indiens avait laissé un certain nombre d'affaires en suspens.

Au bout de soixante-dix ans, Fran se réincarna dans l'État de Virginie, où certains de ses proches de Fort Dearborn avaient déjà commencé à se rassembler. Comme par une sorte de prédestination, ils avaient choisi la baie de Chesapeake, qui se trouvait à une distance respectable de Virginia Beach, et cela bien que Cayce lui-même ne vînt dans cette région qu'en 1925.

Fran ne tarda pas à se rendre compte qu'elle était née sous une mauvaise étoile. Très jeune, elle avait fait un mariage qui fut une véritable catastrophe; son deuxième mariage, juste avant la grande dépression des années 30, la mena à New York, où elle servit et dansa dans un bar de quartier malfamé.

Plus résignée qu'irritée, manquant de confiance en elle-même, elle vivait au jour le jour, sans réel espoir d'améliorer sa condition dans ce monde fait de traquenards et de désillusions. Ce fut à ce moment que David Kahn la remarqua.

Kahn contribua énormément à la célébrité d'Edgar Cayce. Ses affaires le forçant à voyager beaucoup, il en profitait pour vanter avec éloquence et conviction, partout où il passait, les pouvoirs de son meilleur ami. Les bouges n'étaient généralement pas le genre d'endroits où il se rendait, mais ses affaires l'avaient mené là par hasard. Il observa Fran avec insistance alors qu'elle le servait; finalement, il lui demanda : « Mais qu'est-ce qu'une fille comme vous peut bien faire dans un endroit pareil ? » Quand il apprit qu'elle vivait près de Norfolk, en Virginie, il lui donna l'adresse d'Edgar Cayce et lui conseilla d'aller le voir pour une Étude.

Mais Fran n'avait pas beaucoup d'argent et les aléas de la vie la contraignirent à attendre un an avant qu'elle ne se décide finalement à frapper à la porte de Cayce. Cayce sembla la reconnaître immédiatement. Quant à Fran, l'atmosphère de paix qui irradiait de la maison et de ses occupants lui donna l'impression de se sentir pour la première fois en vingt-cinq ans de dure existence dans une sorte de sanctuaire sécurisant.

C'est ainsi que commença toute une série d'Études imbriquées les unes dans les autres, couvrant un groupe d'âmes homogènes. Chaque membre de la nombreuse famille de Fran y était représenté. Edgar sentit qu'il leur devait à tous quelque chose depuis Fort Dearborn où il les avait laissés seuls avec leurs problèmes.

Fran était aujourd'hui la fille de la maquerelle pour laquelle elle s'était liée d'amitié à Fort Dearborn. Cayce soigna sa mère d'un eczéma dont elle souffrait depuis longtemps et elle mourut à l'âge fort honorable de quatre-vingt-sept ans. Son père fut également guéri par Cayce d'une maladie du foie et d'une mauvaise pression artérielle; il vécut jusqu'à l'âge de quatre-vingt-dix ans. Son frère aîné Ned fut aussi son frère à Fort Dearborn. Joël, son deuxième frère, avait été le sacristain qui courtisait la sœur du prêtre; il allait rencontrer et épouser cette même femme dans sa vie présente. Ce mariage fut une réussite pour chacun d'eux jusqu'au moment où le prêtre se réincarna sous les traits de leur premier enfant. À peine eut-il appris à parler que ses parents n'eurent plus la paix un seul instant. Il montra un zèle très précoce pour dresser ses parents l'un contre l'autre et il finit par ériger une barrière insurmontable entre eux. Singulièrement, lui aussi souffrait d'une maladie de la peau, qui fut finalement guérie par une Étude physique qu'il fit chez Cayce à l'âge de 21 ans.

Une des Études physiques les plus complètes et les plus avancées fut certainement celle de la sœur de Fran, Vera, atteinte de tuberculose; les médecins la disaient incurable et elle fut pourtant guérie complètement grâce aux remèdes « non orthodoxes » de Cayce. Vera, plutôt secrète et renfermée de nature, refusa de faire une Étude de vie, craignant peut-être d'avoir été atteinte par la tuberculose à cause de ses fréquentations douteuses à Fort Dearborn.

Le troisième frère de Fran, Hal, était celui qui

aimait le plus sa sœur, qu'il protégeait et admirait. Il adorait l'encourager à danser et à chanter; il s'asseyait, ravi de pouvoir l'écouter, et l'applaudissait à la fin de chacune de ses prestations, portant ses talents aux nues. Qui était-il ? Simplement le tenancier de la taverne de Fort Dearborn, son mari. Lorsqu'il s'aperçut du changement de comportement de sa sœur, qui devenait plus raisonnable suite aux conseils de Cayce, il conçut une certaine antipathie, d'ailleurs parfaitement infondée, pour le parapsychologue; il refusa même de le rencontrer ou de discuter avec lui. Son épouse Sarah ne souffrait pas du même blocage mental : elle avait été une des femmes dont Fran s'était occupée durant la guerre de 1812. Mais lorsque leur premier bébé, à l'âge de trois semaines, tomba gravement malade, au point que sa mort semblait ne plus pouvoir être évitée, Hal fit soudain volte-face et se rendit chez Fran pour lui demander d'obtenir une Étude physique de la part de « ce charlatan ».

Fran expliqua alors à son frère que Cayce ne faisait de telles Études que sur la demande expresse des parents; mais Hal ne voulut pas s'abaisser à cela. Cependant, à la demande de Fran, Cayce, conscient qu'il ne disposait que de très peu de temps pour sauver la vie de l'enfant, fit une exception à la règle qu'il s'était fixée. La solution aux problèmes gastriques de l'enfant était simple : il suffisait de diluer une dose de Castoria et de la lui administrer. La guérison fut presque instantanée et, trois jours plus tard, le bébé était en parfaite santé. Quelques années plus tard, il souffrit d'une inflammation du gros intestin, qui fut également guérie par une Étude physique.

Des quelque vingt rescapés de Fort Dearborn qui s'étaient retrouvés dans la baie de Chesapeake, seuls Hal et l'un des trois maris de Fran refusèrent l'aide et le réconfort qu'une Étude aurait pu leur apporter. En fait, le second mari de Fran ne faisait pas partie de sa vie antérieure et cela peut expliquer son désintérêt.

Durant la guerre de 1812, Fran n'avait fait aucune distinction entre les alliés et les ennemis lorsqu'elle soignait les blessés. Ainsi, lorsque Fran refit sa vie sur des bases plus stables, le poids qui reposait sur ses épaules diminua et la santé et l'équilibre de toute sa famille commencèrent à s'améliorer. Les querelles cessèrent et les tensions disparurent. Les « vieilles affaires restées en suspens » depuis Fort Dearborn avaient enfin été réglées.

C'est alors qu'une certaine Mary Barker fit son entrée en scène en ouvrant une petite boutique de souvenirs pour les touristes. Mary, à peine plus jeune que Fran, était atteinte d'une sorte de polio, l'empêchant de se déplacer seule depuis l'âge de neuf ans. Dès sa première rencontre avec Fran, elle développa une obsession presque névrotique qui faisait qu'elle la suivait partout dès qu'elle avait un moment de libre et l'exaspérait par l'affection maladroite qu'elle lui témoignait.

Fran réussit néanmoins à surmonter ces difficultés et obtint de la part de Cayce une Étude physique, en espérant que Mary pouvait encore être guérie. L'Étude prescrivit une série de massages que Mary était bien incapable de faire elle-même. À cette époque, elle n'était même plus en mesure de travailler pour gagner sa vie décemment. La mère de Fran décida de prendre Mary sous son toit et, pendant trois mois, Fran lui fit ses massages quotidiens, ainsi que les bandages dont elle avait besoin. La jeune fille se remit petit à petit et commença même à pouvoir marcher.

Elle demanda ensuite son Étude de vie, qui lui apprit qu'elle avait été la fille de Fran dans une vie antérieure et qu'elle avait souffert de malnutrition lorsque des domestiques indiens s'étaient enfuis avec elle pour lui sauver la vie. À l'âge adulte, elle fut incapable de s'établir quelque part définitivement, convaincue que sa mère l'avait volontairement abandonnée. L'amertume qu'elle en avait conçue et l'apitoiement sur son propre sort s'étaient manifestés maintenant sous la forme de cette polio. Lorsqu'elle s'en alla finalement pour poursuivre seule sa carrière, elle et Fran restèrent de bonnes amies.

Aujourd'hui, Fran est une respectable mère de famille qui a l'air d'avoir quinze ou vingt ans de moins que son âge réel, parce qu'elle suit scrupuleusement les conseils de son Étude physique. Elle fait preuve d'une discrétion parfaitement compréhensible lorsqu'elle parle des profits qu'elle a retirés des Études faites pour les membres de sa famille ou pour ses amis. Ceux-ci, comme beaucoup d'autres qui doivent leur longévité et leur sérénité à Edgar Cayce, ne reconnaissent pas volontiers en public qu'ils ont bénéficié de son aide. À moins que quelque journaliste ne jette sur eux son dévolu et ne les invite à raconter comment ils ont échappé à une issue fatale grâce à Edgar Cayce.

Le karma de groupe ne s'applique pas seulement à quelques rares privilégiés qui suivent le même cycle d'âmes et de réincarnations dans des familles identiques. Il a des implications universelles.

Edgar Cayce expliqua très clairement que toutes les âmes qui s'étaient trouvées impliquées dans la conquête du Mexique et de l'Amérique du Sud avec les conquistadores Cortés et Pizarre payèrent tous en fonction des pillages et des massacres d'Aztèques qu'ils avaient commis. Le génocide d'une civilisation entière est un phénomène inacceptable, les aventuriers avides d'or et de richesses, dit Cayce, qui prirent part à ces expéditions se retrouvèrent en Espagne durant la guerre civile, au début de ce siècle. Là, des frères, des pères, des mères et des sœurs se dressèrent les uns contre les autres, jusqu'à ce que leur civilisation ne soit plus qu'un vaste charnier. Cela jette-t-il un éclairage nouveau sur la raison pour laquelle certains groupes ethniques, apparemment innocents de toute faute, sont sujets à des horreurs que rien ne semble justifier ?

Toutes les races humaines semblent évoluer en fonction du cyle de leurs âmes. Par exemple de nos jours aux États-Unis, les dirigeants noirs sont en train de conduire leur race vers un héritage de droits économiques et sociaux qu'on leur a longtemps dénié.

Que penser alors de la haine de quelques groupes noirs minoritaires ? Si on la compare à la rationalité de la majorité des dirigeants noirs, responsables et disciplinés, comment peut-on expliquer leur conduite ?

Il est possible que des réactions aussi implacables, loin de refléter le cycle des âmes de Noirs, soient plutôt le fait d'une intrusion dans la race noire d'âmes qui haïssent avec une même intensité le Noir et l'homme blanc. De telles âmes pourraient bien avoir appartenu à cette espèce de marchands d'esclaves du Sud qui faisaient fouetter les hommes et maltraitaient leurs femmes et leurs enfants. De telles âmes s'étaient elles-mêmes condamnées à se réincarner sous les traits d'un Noir. Mais alors que la peau maintenant foncée de celui qui fut autrefois marchand d'esclaves peut légitimement faire

279

enrager sa conscience, son subconscient peut tout aussi bien être excédé par la honte qu'il ressent à la suite des crimes commis autrefois contre ceux de la race noire, à laquelle il appartient maintenant; ce qui fait que, finalement, il déteste autant les Noirs, qui sont les siens, que les Blancs.

17

L'attitude actuelle vis-à-vis
de la réincarnation

Le public

Pourquoi la réincarnation semble-t-elle prospérer davantage dans les sociétés orientales et primitives ? Comparons l'éducation faite de tolérance et de permissivité d'un jeune Indien tlingit, par exemple, à celle que reçoit un enfant né à Salem et qui posséderaient la même aptitude à se remémorer leur vie antérieure. Dans le second cas, l'enfant « clairvoyant » serait considéré comme possédé du démon et exorcisé en bonne et due forme. Quelques-unes des femmes qui furent pendues à Salem étaient à peine plus âgées que des enfants.

De telles horreurs sont assimilables à ce que le grand psychiatre Jung appelait l'« inconscient collectif » d'une nation entière. Et lorsqu'une race est à ce point atteinte dans sa santé mentale, les tabous ne manquent pas de retarder son évolution dans les générations à venir. Dans sa pièce, *The Crucible*, Arthur Miller fait le rapprochement historique entre l'hystérie collective des procès de Salem et la parodie de procès que l'on intenta à John T. Scopes pour avoir enseigné le principe de l'évolution darwinienne à sa classe dans les années 20 ou les séances du Comité des activités antiaméricaines au début des années 50.

Si un scientifique, un professeur ou un politicien, si brillant soit-il, peut être empêché d'occuper la place qu'il mérite dans son pays uniquement par coercition, on imagine aisément comment les enfants, naïfs et crédules par essence, peuvent être influencés jusqu'à laisser dans l'ombre leur propre potentiel psychique. Un enfant qui se remémore sa vie antérieure et qui a l'imprudence de le dire, court le risque, soit d'être ridiculisé, soit d'être puni et envoyé chez un psychologue. Inévitablement, il sera amené, de gré ou de force, à réprimer l'évidence de ce que lui indiquaient ses propres sens, jusqu'à ce que ceux-ci soient complètement atrophiés.

Les Églises

Les États-Unis, la démocratie la plus forte qui ait jamais existé dans l'histoire du monde, se sont montrés capables d'assimiler des idéologies hostiles et d'en tirer même des enseignements – pour autant qu'une minorité soit empêchée de contaminer par ses idées la majorité silencieuse. Les brutalités de Salem, par exemple, conduisirent directement à l'insertion du principe de la liberté de croyance dans la Constitution.

Si la Constitution est la base sur laquelle repose la démocratie américaine, alors, lorsque le révérend Wally White veut se débarrasser de Bridey Murphy « parce que la réincarnation est une attaque contre les principes établis de la religion », il se trouve autant dans l'erreur que ses prédécesseurs de Salem.

Quels sont donc « les principes établis de la religion » qu'il met tant de zèle et de hargne à protéger ? Sont-ils si faibles que la protection que leur garantit la Constitution est insuffisante ? Assurément, les erreurs commises par les Églises officielles ressemblent à celles que critiquait le pape Pie XII en 1950 : « Nous ne pouvons nous abstenir d'exprimer notre préoccupation et notre anxiété pour ceux qui... se sont laissé emporter par le tourbillon de leurs activités extérieures au point de négliger la tâche principale de tout bon chrétien : sa propre sanctification.

» Nous nous sommes déjà exprimés publiquement en écrivant que ceux qui pensent que le monde peut être sauvé par ce que l'on a justement appelé "l'hérésie de l'action" feraient mieux de porter un meilleur jugement. »

Quatorze ans plus tard, le cardinal Dopfner de Munich définissait l'état actuel de la religion occidentale en termes à ce point brillants et lucides qu'ils furent considérés comme définitifs.

Le prestige du cardinal Dopfner était tel qu'il fut choisi par le pape Paul VI pour être l'un des quatre modérateurs lors de la seconde session du concile de Vatican II, en 1964. En cette qualité, il fit la déclaration suivante devant un public de 2 800 personnes, rassemblées au Palais des congrès de Munich (ces extraits sont tirés du magazine *Time*, 4 février 1964) :

« Quantité de fidèles ont été perdus parce que l'Église catholique apparaissait beaucoup trop comme "une institution qui enchaînait la liberté" et comme "un souvenir suranné d'une autre époque". Elle parlait à l'homme dans un langage trop ancien, avec des rituels incompréhensibles, en prêchant des concepts qui n'avaient plus aucune prise sur la vie courante. Au lieu de s'immiscer dans les affaires du monde, l'Église semblait se cantonner dans "un ghetto qu'elle s'était elle-même imposé, essayant de bâtir son petit monde bien à elle, à côté de l'autre monde, le grand". Soumis à un "formalisme antique", le catholicisme donnait souvent l'impression de s'indigner de la présence inévitable du pluralisme idéologique, de la démocratie politique et de la technologie moderne.

» Ces vérités, si désagréables fussent-elles, persuadèrent le pape Jean XXIII de la nécessité du concile, qui donna une nouvelle force à la compréhension du catholicisme, qui devenait ainsi *ecclesia semper reformanda* – une Église en perpétuelle réforme.

» Le Christ lui-même était pur de tout péché, mais la continuation de son œuvre a été confiée aux frêles humains, des pécheurs. Ainsi l'Église s'est-elle parfois rendue coupable de "manquer de terminer ce que Dieu avait désiré. La présentation de l'amour du Christ peut rester en retrait si l'Église recourt à la force plutôt qu'à l'humilité – à la force au lieu de se mettre au service d'autrui".

» Cela signifie, à en croire Dopfner, que toute réforme ne peut être entreprise par l'Église lors des conciles que dans un esprit de pénitence, en reconnaissant que cela se passe au sein "d'une communauté de pécheurs". Une réforme doit également être basée sur les enseignements du Christ et de l'Écriture sainte. Elle doit aussi aller dans le sens d'une rénovation plutôt que dans celui d'une révolution, en ayant soin de préserver ce qui est bon des traditions passées tout en restant ouvert aux possibilités ultérieures de développement.

» "Nous courons le danger de résister aux idées, aux formes et aux possibilités auxquelles appartient peut-être le futur; et souvent nous considérons comme impossible ce qui se manifestera finalement comme une forme parfaitement légitime du christianisme", ajoutait encore le cardinal.

» "Même dans le domaine de l'enseignement par l'Église, un développement est loin d'être impossible, précisait Dopfner, car un dogme en tant que tel n'est pas synonyme de vérité divine; il n'est que l'expression incomplète de la richesse de la vérité divine, car il considère la révélation en termes humains."

» Cela ne signifie pas que l'Église puisse désavouer ou modifier les définitions dogmatiques du passé, mais elle peut par contre découvrir de nouveaux aspects de la vérité et trouver de nouveaux moyens d'exprimer des enseignements traditionnels.

» Ainsi l'ancienne croyance des catholiques selon laquelle "il n'y a aucun espoir en dehors de l'Église" peut être amplifiée pour la rendre moins offensante à l'égard des protestants. Il faudrait également la modifier pour reconnaître que "la parole et la grâce de Dieu sont tout aussi effectives en se manifestant en dehors de l'Église".

» Faire reconnaître cela par les plus hautes autorités de l'Église est assurément une innovation qui, à l'époque où des personnes étaient persécutées parce qu'elles professaient une foi différente et étaient considérées comme hérétiques, aurait été tout simplement inconcevable.

» La reconnaissance de l'Esprit-Saint en dehors des limites de l'Église catholique jette un pont en direction de nos "frères séparés" et élargit le domaine de l'Église en tant que telle... Nous considérons cela comme le premier pas d'une route au long de laquelle Dieu seul peut en définitive nous mener. »

Ces paroles résonnent d'une sombre magnificence parce que, dans leur essence même, elles s'appliquent à tous les dogmes dont l'intolérance a donné naissance à un chemin détourné.

Vous remarquerez également que les rédacteurs du *Time* reconnaissent en la personne du cardinal Dopfner « une des plus hautes autorités de l'Église ». Pourtant, aux yeux d'un personnage omniscient comme le révérend Wally White, les déclarations du cardinal pourraient aussi bien être considérées comme une « attaque contre les principes établis de la religion », comme chacun d'ailleurs des principes contenus dans « l'hérésie formelle » de la réincarnation.

L'intolérance religieuse subit un examen encore plus pénétrant dans ce bref extrait de l'essayiste juif Harry Golden :

« Les antisémites brûlent souvent d'une haine consumée pour Jésus-Christ, qu'ils dirigent prudemment contre le peuple dont Il est issu.

» Haïr les juifs permet également aux antisémites de décocher des flèches contre l'éthique contraignante du christianisme sans risquer d'avoir à affronter toute la communauté. »

En résumé, l'euphorie de la fausse justice mène inévitablement à la persécution.

La persécution renforce l'esprit de revanche et s'attaque aux faibles, aux inoffensifs. Comme par exemple l'homosexuel, davantage considéré comme un monstre que comme un être différent. Privé de ses droits sociaux et de ses privilèges, il a hérité de la cape du paria qui était portée, au siècle dernier, par les immigrants qui fuyaient les despotes et les ghettos européens.

Il y a une centaine d'années environ, des inscriptions sur les fenêtres des bureaux informaient les chômeurs que « les Irlandais et les chiens n'avaient pas besoin de faire leurs offres ». Le juif se trouva aussi isolé dans le quartier qui lui était dévolu à New York qu'il l'était à Varsovie ou à Prague. Le Noir était réduit à l'esclavage dans l'Atlantide.

La nouvelle race d'hommes est toujours imprégnée de ces intolérances et le vrai citoyen d'Amérique, « conçu dans la liberté », doit encore émerger.

Mais le voudra-t-il ? Ou faudra-t-il attendre que toute cette intolérance ait disparu ?

Edgar Cayce, sous hypnose, répondait par la négative. Cette nation s'est dépensée plus que toute autre au moment d'écrire sa Constitution – passant un pacte devant Dieu, comme d'autres l'avaient fait dans la Bible. D'autres nations, moins engagées que celle-ci, n'ont pas besoin de se conformer à des modèles aussi idéalistes, bien que la moitié de l'Europe et presque toute l'Asie adhèrent à des manifestes assez cyniques et désuets pour dénier à l'homme le droit à « l'égalité, la fraternité et la liberté ».

La réincarnation affirme dans chacun de ses principes, chacune de ses croyances, que toute religion simulée ne peut que donner naissance à un simulacre de peuple – que la racine de tout mal, le poison mortel dont l'homme se nourrit encore, est l'inclination sournoise et honteuse qu'il a à persécuter sans s'attendre à une punition.

La réincarnation dans le futur

Dans le monde matériel où nous vivons, les événements qui se produisent projettent toujours leurs ombres, même si ces dernières ne peuvent être discernées que par le regard rétroactif de l'historien.

Edgar Cayce se refusait toujours à imposer ses théories aux autres; mais lors des conférences qu'il fit au Cayce Hospital au début des années 30, il indiqua clairement quelles étaient ses croyances quant à l'avenir qui nous attend. Il voyait un développement des facultés de l'homme, un élargissement de ses cinq sens, et corollairement, une acceptation logique et rationnelle de vérités plus profondes.

Si le principe de la réincarnation est inhérent à ces vérités plus profondes, il sera automatiquement reconnu et accepté par la race humaine lorsqu'elle atteindra ce niveau de perception.

Cayce lui-même était déjà capable de lire dans les esprits et de voir les auras des gens; il décrivit ses expériences de la manière suivante : « Pour autant que je puisse m'en souvenir, j'ai vu des couleurs en relation avec les gens. Les êtres humains que je rencontrais étaient toujours imprégnés des nuances de bleu, de vert et de rouge qui descendaient lentement de leur tête et de leurs épaules. Il me fallut beaucoup de temps avant de réaliser que j'étais le seul à voir ces couleurs; cela me prit beaucoup de temps avant que je n'entende le mot "aura" et que j'apprenne à l'appliquer à un phénomène qui m'avait toujours été familier.

» Je ne pense jamais aux gens sans les mettre en relation avec leur aura; je la vois changer chez mes amis et ceux que j'aime au fur et à mesure que le temps passe – à cause de la maladie, de la fatigue, de l'amour, du travail. Pour moi, l'aura est le baromètre de l'âme. Elle montre dans quelle direction soufflent les vents du destin.

» Bien d'autres personnes ont fait des expériences semblables aux miennes, sans se rendre compte que ce qui leur arrivait était abolument unique.

» J'ai entendu de nombreuses personnes faire des commentaires sur l'influence des lunettes oculaires dans notre civilisation. Ils semblent les considérer comme quelque chose de néfaste. Est-ce parce qu'elles empêchent l'effort constant que font nos yeux pour voir toujours davantage et franchir ainsi l'étape suivante de notre évolution? Je pense que cela est vrai et qu'on l'acceptera, dans le futur.

» Qu'est-ce que cela signifiera pour nous si nous franchissons cette nouvelle étape sur la voie de notre évolution? Eh bien, cela signifiera simplement que nous serons tous capables de voir ces fameuses auras!

» Une aura est un effet, non une cause. Chaque atome, chaque molécule, chaque groupe d'atomes et de molécules, si simple ou si complexe soit-il, contient sa propre histoire – sa conception, son dessin – dans les vibrations qu'il émet.

290

» L'âme voyage au travers des royaumes de l'être, elle se modifie et change son modèle de comportement lorsqu'elle use, ou abuse, des occasions qui se présentent à elle. L'œil humain est capable de percevoir ces vibrations sous la forme de couleurs.

» Ainsi, à chaque moment, dans quelque monde que ce soit, l'âme irradie son histoire au travers des vibrations qu'elle émet. Si une autre conscience peut appréhender ces vibrations et les comprendre, elle connaîtra alors l'état de cette âme sœur, sa condition ou même les progrès qu'elle a pu faire.

» Imaginez ce que cela peut signifier ! Chacun sera capable de lire dans les pensées de l'autre ! Nous devrons tous être francs et honnêtes; il n'y aura plus de place pour la supercherie !

» Les dangers, les catastrophes, les accidents, la mort même ne viendront plus par surprise. Nous les verrons arriver, comme le faisaient les prophètes et, tout comme les prophètes, nous saurons reconnaître notre mort et lui souhaiter la bienvenue, car nous comprendrons sa vraie signification.

» Il est bien sûr difficile de nous projeter dans un tel monde – un monde où les gens verront les vices et les vertus de leurs semblables, leurs faiblesses et leurs forces, leurs maladies, leurs malheurs, les succès qui les attendent. Nous pourrons nous voir comme les autres nous verront et nous serons alors une race toute différente de celle que nous sommes actuellement. Combien de nos vices vont subsister, lorsqu'ils seront tous connus de chacun ? »

De la même façon, Edgar Cayce parlait des pouvoirs latents de la concentration mentale, qui sera également appelée à se développer chez les êtres humains.

« Mon expérience m'a enseigné que chaque phase

d'un phénomène peut être expliquée par les activités du subconscient. Tout d'abord, laissez-moi vous parler d'une de mes propres expériences – une expérience que je n'ai d'ailleurs jamais recommencée ! Par cet exemple, je peux vous donner mon avis sur la manière dont la télépathie devrait, et ne devrait pas, être utilisée.

» Il y a de cela plusieurs années, je travaillais dans un studio de photographie et avais pour assistante une jeune femme, par ailleurs très bonne musicienne. Elle avait commencé à s'intéresser à la photographie, ainsi qu'aux phénomènes parapsychologiques qui se manifestaient en moi.

» Un jour, je lui dis que je pouvais contraindre un individu à venir me voir. Je lui ai dit cela parce que je pensais à la télépathie et étais en train de l'étudier. J'étais sûr qu'en se concentrant suffisamment, il devait être possible de se créer une image mentale et que, en "voyant" une personne, on pouvait mentalement l'amener à faire ce que justement on se représentait.

» Mon assistante me dit alors : "Je crois toujours ce que vous dites, mais cela, vraiment, je ne peux y croire ! Il faudra réellement que vous me le prouviez !

» – Très bien, répondis-je, donnez-moi les noms de deux personnes qui, selon vous, ne se laisseraient pas influencer par mon pouvoir.

» – Jamais vous ne pourriez faire venir mon frère ici, dit-elle, et je sais également que vous ne pourriez pas faire venir M. B., car il ne vous apprécie guère.

» Je lui dis qu'avant midi le lendemain, non seulement son frère serait au studio, mais qu'en plus il me demanderait de faire quelque chose pour lui. "Et le jour suivant, avant deux heures de l'après-midi, lui dis-je encore, M. B. sera là également."

» Elle hocha la tête avec incrédulité et répéta qu'elle ne pouvait croire à ce genre de choses.

» Notre studio était disposé de telle façon que, depuis le deuxième étage, nous pouvions regarder dans un miroir ce qui se passait dans la rue. À dix heures le lendemain matin, je m'assis pour me concentrer sur le frère de mon assistante. Au fond de moi, je me demandais aussi si je n'avais pas surestimé mes capacités en disant qu'il allait me demander de faire quelque chose pour lui : sa sœur m'avait souvent signalé qu'il rejetait complètement la valeur de mon travail.

» Après environ une demi-heure de cette concentration intense, je vis le garçon passer dans la rue, puis se diriger en direction des escaliers. Il resta là quelques secondes, regardant vers le haut des escaliers – puis s'en alla. Quelques minutes plus tard, il revint sur ses pas et monta les escaliers jusqu'au deuxième étage.

» Sa sœur le regarda, ébahie, et s'exclama : "Mais que fais-tu donc ici ?" Le garçon s'assit sur le bord de la table et paraissait gêné. Puis il dit : "En fait, je le sais à peine moi-même. J'ai eu quelques ennuis hier soir au magasin et tu m'as si souvent parlé de M. Cayce que je me demandais s'il ne pourrait pas m'aider..."

» Sa sœur faillit s'évanouir !

» Le lendemain, à onze heures du matin, je repris place dans le même fauteuil. Cette fois, mon assistante me dit : "Si cela a marché avec mon frère, cela va certainement marcher aussi avec M. B. !"

» Je lui dis que je préférais ne pas être là lorsque M. B. arriverait : il me détestait et me détesterait encore plus après cela. Elle m'apprit donc par la suite qu'il était venu aux environs de midi et demi, peu après mon départ. Elle lui avait demandé si elle pouvait lui être utile. Il avait répondu : "Non. Je ne sais pas ce que je fais ici !" Et il était sorti sans rien ajouter !

» Mais plus j'étudiais ces phénomènes, plus j'étais convaincu que je ne devais pas répéter ce genre d'expériences. Quiconque tente de contrôler une autre personne peut le faire – mais attention ! Ce que vous désirez contrôler chez l'autre sera ce qui va justement vous détruire.

» Car, comme le précisent les informations des Études, quiconque désire contraindre autrui à se soumettre à sa propre volonté est un tyran. Même Dieu ne nous impose pas Sa volonté. Soit notre volonté est la même que la Sienne, soit nous nous opposons à Sa volonté. Chaque personne dispose d'un choix individuel.

» Quel rôle la télépathie joue-t-elle dans notre vie ? Il ne faut pas perdre de vue que chaque chose bonne peut également être dangereuse. Je ne peux rien mentionner de bien qui ne puisse être également sujet à une mauvaise utilisation. Comment, dès lors, pouvons-nous faire usage de ce don de lire dans les esprits, ou de cette télépathie, de manière constructive ?

» La meilleure règle que je puisse donner est la suivante : "Ne demandez pas à une autre personne de faire ce que vous ne voudriez pas faire vous-même." Lorsque le Seigneur s'en alla en Judée, un des nobles du district, un pharisien, lui demanda de venir dîner avec lui. Jésus accepta l'invitation et ses disciples l'accompagnèrent. Au moment de s'asseoir à table, une prostituée vint vers Jésus, elle lui lava les pieds avec ses larmes et les essuya avec ses cheveux. Elle oignit également ses pieds d'un onguent précieux.

» Le noble se dit à lui-même – comme beaucoup d'entre nous le feraient aujourd'hui : "Quelle sorte d'homme est-ce donc ? Ne sait-il donc pas qui est cette femme ?" Jésus, qui savait ce qui se passait dans son esprit, lui dit : "Simon, j'ai quelque chose à te dire... Il y avait un certain créancier qui avait deux débiteurs; un lui devait cinq cents sous et l'autre cinquante. Comme ni l'un ni l'autre n'avaient de quoi le payer, il oublia simplement ces deux dettes. Dis-moi, maintenant, lequel des deux va l'aimer le plus ?" Simon répondit : "Je suppose celui des deux qui lui devait le plus." Jésus lui dit alors : "Tu as bien jugé." (Luc 7, 36-50.)

» Remarquez que Jésus n'a pas dit à Simon : "C'est justement ce à quoi tu penses." Il ne l'a pas non plus accusé de manquer de courtoisie en ayant omis de faire apporter de l'eau pour ses pieds, ni d'huile pour l'oindre. Jésus fit simplement remarquer à Simon qu'il ne devait pas mettre la faute sur le compte de quelqu'un d'autre.

» Nous aussi, à certains moments, nous sommes capables de sentir ce que les gens pensent et nous pouvons connaître la direction que prennent leurs pensées. À de pareils moments, notre conversation et nos actes envers eux ne peuvent que consister à leur montrer – comme le Seigneur l'avait fait comprendre à Simon – que leurs pensées les plus intimes peuvent être portées à la connaissance de ceux qui sont étroitement associés à Dieu.

» Ceux d'entre vous qui ont étudié l'histoire de l'Atlantide (dans les Études) savent que des forces comme la télépathie y étaient hautement développées. Nombre d'individus étaient capables de créer des objets matériels avec le seul pouvoir de leur concentration. L'utilisation de telles forces à des fins personnelles, comme ils le firent alors, ne peut qu'aboutir à la destruction.

» Cette même force de l'esprit existe toujours, comme elle existait du temps de l'Atlantide.

» Aujourd'hui les plus graves péchés de la terre sont toujours l'égoïsme et la domination de la volonté d'un individu par celle d'un autre individu.

» Peu nombreux sont ceux qui autorisent d'autres individus à vivre leur propre vie. Nous voudrions leur dire comment faire; nous voudrions les forcer à vivre comme nous le faisons et à voir les choses telles que nous les voyons. La plupart des épouses veulent dire à leur mari comment faire et la plupart des maris veulent dire à leur femme ce qu'elle peut et ne peut pas faire !

» Avez-vous jamais pensé que personne d'autre ne peut répondre à Dieu à votre place ? Ni que vous pouvez répondre à Dieu à la place de quelqu'un d'autre ?

» Si une personne désire avant tout se connaître elle-même, alors la possibilité de connaître la pensée des autres viendra. La majorité de ceux qui vont s'exercer dans cette direction parviendront à leurs fins. Mais assurez-vous de ne pas vouloir faire l'œuvre de Dieu ! Sachez vous contenter de la vôtre !

» Nous avons le droit de faire part aux gens de notre propre expérience et les laisser décider pour eux-mêmes; mais nous n'avons aucun droit de les forcer, car Dieu demande à chaque homme, où qu'il soit, de regarder, d'observer et de comprendre par lui-même.

» La réponse est propre à chacun de nous, de savoir s'il vaut la peine ou non de développer ces capacités. Si nous avons une idée exacte de ce que signifie le mot « psychique », nous savons alors qu'il s'agit d'une faculté qui existe – qui a toujours existé – et qui nous appartient de plein droit dès la naissance, parce que nous sommes les fils et les filles de Dieu. Nous avons la possibilité de nous associer avec l'Esprit.

» Lorsque nous utilisons les forces qui sont en nous pour servir les Forces créatrices et Dieu, nous pouvons être sûrs de leur utilisation correcte. Par contre, si nous les utilisons à des fins égoïstes et personnelles, alors nous en abusons. Nous devenons alors les Fils de la Perdition. »

À un moment où Edgar Cayce était en état d'auto-hypnose, on lui demanda : « De quelle manière devrions-nous présenter les travaux de l'ARE à quelqu'un dont la foi est orthodoxe ? »

« Invitez-le à venir voir ce qui se passe, répondit-il. Mais ne lui imposez rien, ne le forcez pas. Car seuls ceux qui ont besoin de répondre à "quelque chose au-dedans d'eux-mêmes" sauront observer.

» Ne les dérangez pas, ne mettez pas sur eux la faute. Car si ton Père, Dieu, avait trouvé une faute dans chaque mot que tu as prononcé, dans chaque geste que tu as fait au cours de ton expérience, quelle aurait alors été ta chance lors de cette expérience ?

» Si tu désires obtenir sa clémence, sois toi-même miséricordieux et bienveillant avec tous ceux que tu rencontreras, quelle que soit leur foi, à quelque groupe qu'ils appartiennent. »

CONCLUSION

La réincarnation n'est pas une théorie; il s'agit d'un code d'éthique pratique qui affecte directement le comportement de l'homme.

La réincarnation faisait partie intégrante des premières versions des Évangiles et son abolition par deux païens n'a malheureusement toujours pas été reconsidérée. On trouve encore quelques références éparses à son sujet dans la Bible, mais les encyclopédies n'ont jamais cessé d'amoindrir l'importance qu'elles lui accordaient, spécialement depuis 1911 – année de la publication de la dernière édition de l'*Encyclopædia Britannica* à traiter honnêtement de ce phénomène sous le terme de métempsycose.

Toutes les Études faites par Edgar Cayce la reconnaissent sans équivoque et insistent sur le fait que les aspects positifs et négatifs de la conduite d'un individu dans ses vies antérieures ont une conséquence directe sur le modèle de son comportement actuel. Les influences négatives peuvent être surmontées et annihilées, dès l'instant qu'un homme est prêt à accepter ses problèmes comme étant la conséquence directe de son propre comportement et à reconnaître qu'il en est le seul responsable.

Dans aucun cas la réincarnation semble n'avoir représenté un danger quelconque pour les croyances philosophiques ou spirituelles de l'homme.

Et, malgré cela, aucune autre croyance n'a été aussi catégoriquement reniée et jamais on ne l'a mise au bénéfice du doute; jamais détracteurs n'ont réclamé des « preuves » avec autant de vigueur et de vacarme. Mais sur les épaules de qui devrait justement reposer le poids de cette preuve ?

Il n'y a aucune preuve historique de l'existence du continent perdu de l'Atlantide. Mais, il y a cinq cents ans, il n'y avait aucune preuve historique de l'existence du continent américain. Il n'y avait pas non plus de preuve historique de l'existence des *manuscrits de la mer Morte* jusqu'à ce qu'un berger arabe les découvre, tout à fait par hasard, alors qu'il n'avait qu'une chance sur un million de les trouver.

À propos de n'importe quel phénomène terrestre, la plupart des hommes seront toujours prêts à croire n'importe quel mensonge – pour autant qu'il soit assez énorme, assez absurde et qu'on le lui répète assez souvent. Jamais même ils ne penseront à exiger une quelconque preuve. Ainsi, ces hommes croiront ce qu'ils lisent dans leurs journaux, ce que leur apprennent les bulletins d'information à la télévision. Ils accepteront sans sourciller les promesses électorales d'un démagogue. Ils seront aveuglément convaincus de l'infaillibilité et de l'in-corruptibilité de leur avocat, de leur médecin et de leur dentiste. Si un médecin opère un patient pour une appendicite et qu'au moment de le recou-dre, il oublie par inadvertance une bande de gaze sous la plaie, le patient mourra avant d'avoir eu le temps de savoir pourquoi l'opération qu'il a subie n'a pas été le succès que l'on pouvait honnêtement escompter.

Apparemment seule la réincarnation inspire à l'homme ce sentiment de méfiance superstitieuse et lorsqu'il se sent réellement menacé, souvent de manière confuse, il exige alors une preuve irréfutable.

Pourquoi la loi karmique de la renaissance et de la restitution est-elle le souffre-douleur de tout esprit orthodoxe ?

Serait-ce le fait que chaque âme ait à revenir de son plein gré pour refaire l'expérience, du bien comme du mal, à laquelle elle avait contraint les autres ?

Est-ce le fait que nous devrons éventuellement hériter des faiblesses que nous avons condamnées chez les autres, avec toutes les persécutions que cela peut entraîner ?

Est-ce le fait que chaque âme est à la fois son propre juge et son propre jury et qu'elle ne saurait se condamner qu'elle-même ?

Est-ce le fait qu'en dernière analyse la seule personne qu'on puisse duper... c'est soi-même ?

Notre préoccupation quasi obsessionnelle de la superficialité et notre souci constant de nous conformer aux modes nous privent non seulement de notre individualité, mais font aussi de nous des êtres complaisants et à l'esprit étroit. Parce que nous avons rejeté le principe de la réincarnation, nous gaspillons les trois quarts de notre vie à vouloir impressionner les autres en paraissant ce que nous ne sommes pas. Le moment vient alors où il nous est même impossible d'être honnêtes avec nous-mêmes; alors rien n'est plus nécessaire à notre bien-être que la réincarnation.

Peut-être sa composante désagréable réside-t-elle dans le fait que, même lorsqu'elle est réduite à ses aspects les plus simples, la réincarnation n'offre aucune consolation à l'indolent et au paresseux qui blâme ses parents de n'avoir pas su faire de lui quelqu'un d'apprécié par les autres – comme s'ils y pouvaient quelque chose... La réincarnation n'est en aucun cas la panacée pour le fainéant qui se complaît dans les fautes qu'il a commises et attend même d'en être récompensé.

« L'ego est si souvent prisonnier de lui-même, disait Edgar Cayce, qu'il risque constamment de perdre son importance, sa place et sa liberté. Mais pour bénéficier soi-même de la liberté, il faut savoir en donner ! Pour vivre en paix, il faut la faire ! Ce sont là des lois immuables... Car la patience est indispensable. Ce n'est qu'avec de la patience que tu te rendras compte que ton corps n'est qu'un temple, un édifice extérieur; alors que l'âme et l'esprit en sont les ornements permanents. »

Cela s'oppose certainement à la vieille maxime matérialiste qui veut que l'on haïsse le perdant et que l'on admire celui qui a vaincu par la force, sans se soucier du nombre de victimes qu'il a laissées derrière lui.

Avons-nous, en excluant la loi de la réincarnation, écarté le principe d'un Créateur juste et bon ? Il semblerait alors que nous ayons créé nous-mêmes le piège dans lequel nous sommes tombés. Car, les cinq sens de l'homme sont assurément insuffisants pour lui permettre de rejeter avec conviction l'existence de Dieu.

L'homme ne se trouve-t-il pas plus en sécurité en L'acceptant qu'en Le rejetant ? Car, lorsqu'il aura réussi à réduire toutes ses croyances à néant, l'homme cessera lui-même d'exister.

Un athée ne peut contempler le firmament sans être pris de vertige, simplement parce qu'il n'a aucun moyen de le comparer avec quelque chose qui lui serait familier. Il éprouve autant de difficulté à se représenter l'idée même de la réincarnation. Car cette idée, partie intégrante d'une foi sincère, manque d'une base matérialiste réconfortante. Ce fait lui-même est suffisant pour la rendre suspecte à n'importe quel pécheur persuadé d'être né avec le péché originel, persuadé que la seule voie de son salut se trouve dans des souffrances interminables et insensées.

Pour lui, l'hérésie de la réincarnation consiste à croire que l'homme est un agent libre et que son Dieu est un Dieu d'amour. Cela signifie qu'il ne pourra pas connaître son Créateur avant d'avoir appris à aimer ses semblables.

De la même façon, aucun homme n'est capable d'aimer les autres avant d'avoir pu surmonter les obstacles qui l'empêchaient de s'aimer lui-même. S'il ne peut jamais aimer les autres, ou devenir aimable à leurs yeux, les autres ne pourront jamais l'aimer.

Il sera alors tourmenté et aigri, prisonnier de la nuit éternelle et d'une solitude implacable. La solitude est l'adversaire le plus farouche de l'homme, car c'est le seul poison qui puisse finalement exterminer l'âme, inexorablement.

Le lecteur, s'étant maintenant aperçu que toute étude sérieuse du phénomène de la réincarnation ne peut pas être entreprise autrement que sous la lumière du Christ, fera bien de laisser tomber ses propres dogmes en se référant au révérend Weatherhead et à son essai, *The Christian Agnostic*, publié chez Abingdon Press, New York, en 1965. Aucun autre homme d'Église de si haute estime n'a été plus en accord avec l'interprétation que fit Edgar Cayce de la Bible.

Dans le chapitre « Reincarnation and Renewed Chances », le Rd Weatherhead parle de son acceptation de la métempsycose de la manière suivante : « Je pense à Betty Smith, née dans une famille prospère, à qui furent données toutes les chances, qui bénéficia d'une éducation idéale, qui aima et épousa un homme capable de la maintenir dans un environnement identique à celui dans lequel elle avait toujours vécu, qui donna naissance à six enfants en excellente santé et qui vécut finalement toute sa vie dans les meilleures conditions possibles.

» Je pense ensuite à Jane Jones, née aveugle, ou sourde, ou encore estropiée, dans une maison misérable, où un père ivrogne transformait en enfer la vie de tous les jours. Jane ne put jamais échapper à ce milieu, elle ne put jamais se marier et fonder son propre foyer; elle ne put jamais bénéficier des mêmes avantages que Betty Smith et elle mourut jeune, d'une maladie incurable...

» Certains s'imaginent que "ces choses seront compensées au ciel..." Serait-ce à dire que Betty devrait souffrir, dans une autre vie, uniquement parce qu'elle fut heureuse sur terre ? Quelle serait la signification de ce renversement de situation, en termes de justice ? Nulle. Et cela ne ferait certainement aucun bien à Jane. Et d'ailleurs, elle ne serait pas assez vindicative et mesquine pour désirer pareille chose. Mais alors, Jane devrait-elle être "récompensée" ou simplement "compensée" ?

» Quelle sorte de compensation peut faire oublier un demi-siècle de souffrance terrestre ? On est

304

choqué à l'idée que l'on puisse donner une certaine somme d'argent à un homme emprisonné à tort. Alors comment compenser une détresse de toute une vie ? C'est impossible. Ces pertes sont irréparables.

» La détresse humaine n'est-elle alors qu'une affaire de hasard ? Si c'était le cas, comme la vie serait injuste ! Est-ce l'affaire de la volonté de Dieu ? Quel père injuste il ferait alors; un père, sur terre, qui exercerait aussi cruellement sa volonté serait jeté en prison, ou enfermé dans un asile psychiatrique ! »

Ce sont là des paroles déterminées, allant dans le sens de ce qu'a toujours affirmé Edgar Cayce. Le Rd Weatherhead croit sincèrement que le christianisme est une manière de vivre, et non « un système théologique avec lequel il faudrait être en accord intellectuel... »

« Si vous aimez le Christ et cherchez à le suivre, adoptez l'attitude d'un chrétien agnostique vis-à-vis des problèmes intellectuels, du moins pour le moment...

» Franchement, je me demande souvent pourquoi les gens qui vont à l'église sont si nombreux. Le christianisme doit disposer d'un pouvoir particulièrement attractif, ou alors les Églises l'auraient fait disparaître il y a longtemps déjà. »

Malgré cela, la réincarnation ne se verra assigner aucune place dans notre société jusqu'au jour où les dogmes de l'orthodoxie cesseront de pourvoir en arguments ses détracteurs. La réincarnation n'aura jamais de sens pour l'homme aussi longtemps qu'il craindra, et rejettera, le concept désuet d'un Dieu vindicatif et vengeur.

Le Rd Weatherhead, comme Edgar Cayce du reste, fait de cela la pierre angulaire de toute son argumentation et il ne fit aucune exception, pas même pour cet homme d'Église anglais qui avait usé de tous les arguments pour détruire la métempsycose, en affirmant : « Ma préexistence supposée ne peut avoir de signification morale actuelle simplement parce que je suis empêché de me souvenir de quoi que ce soit à ce sujet. »

Le Rd Weatherhead ne manqua pas de répondre vertement à cette affirmation : « Quelle déclaration absurde ! Si l'on donnait maintenant une drogue au Dr Whale et qu'il perde la mémoire de ce qui s'est passé pendant sa jeunesse, cela voudrait-il dire que toute cette période n'aurait "aucune signification morale actuelle" ? C'est oublier complètement que c'est justement au cours de cette période que s'est formé son caractère, qu'il est devenu ce qu'il est, qu'il s'en souvienne ou pas ! Un juge n'excuse pas un prisonnier, ne lui enlève pas toute responsabilité morale, s'il affirme simplement ne se souvenir de rien du tout !

» Aucun d'entre nous ne peut se souvenir précisément de ses premières années. Mais aucun psychologue ne niera l'importance et l'impact qu'elles ont eus sur notre comportement.

» L'enfance s'est déroulée, même si nous l'avons partiellement oubliée, et elle continue à déterminer nombre de nos réactions actuelles face à la vie. Le modèle de comportement d'un adulte est une sorte de mémoire emmagasinée. Nous n'avons pas besoin de nous souvenir de nos impressions mentales pour être influencés par elles. »

Dans le même esprit, le Rd Weatherhead présente cet argument on ne peut plus convaincant : « Le chrétien intelligent croit que Dieu élabore un plan pour la vie de chaque homme et de chaque femme et que l'accomplissement de ce plan signifie que

306

"Sa volonté est faite sur la terre comme au ciel"...

» Mais comment le monde peut-il progresser si la naissance de chaque nouvelle génération le remplit à nouveau d'âmes non régénérées, aux tendances animales ? Le monde ne sera jamais parfait tant que ceux qui y naissent n'apprendront pas à tirer avantage des leçons apprises au cours des vies antérieures. À vrai dire, le nombre des prodiges est limité et il en va de même pour les saints; mais il pourrait très bien se trouver d'autres planètes, plus appropriées que la nôtre, qui pourraient leur servir de terrain d'apprentissage. En d'autres termes, il nous faudrait abandonner l'idée que la terre est le lieu de l'avènement d'une société parfaite.

» Je suis en accord avec feu Dean Inge, un très grand penseur, qui disait de la doctrine de la réincarnation qu'il la trouvait à la fois crédible et attractive.

» On peut se demander pourquoi les hommes ont accepté si rapidement l'idée d'une vie après la mort et discrédité, si largement, du moins en Occident, celle d'une vie avant la naissance. Selon moi, ces nombreux arguments pour une immortalité à sens unique militent fortement en faveur d'une vie prolongée en dehors du corps actuel. »

Nous ne pouvons mieux conclure qu'avec une des paroles de la Bible qu'Edgar Cayce cita souvent.

Dans Luc 16, 19-31, le Christ parle aux pharisiens du mendiant Lazare, « nourri des miettes de la table des riches », qui mourut et fut emmené auprès d'Abraham. Mais lorsque le riche mourut à son tour, il se retrouva en enfer, d'où il pouvait voir Lazare à l'abri, au paradis.

« Puis il dit (à Abraham), "Je te prie, mon père,

de l'envoyer à la maison de mon père; car j'ai cinq frères; afin qu'il puisse tout leur dire et qu'ils ne viennent pas eux aussi dans ce lieu de tourments."

» Abraham lui répondit : "Ils ont Moïse et les prophètes; laissons-les les écouter."

» Et l'homme riche répondit : "Mais, père Abraham, si quelqu'un revenait de la mort pour leur parler, ils se repentiraient."

» Et Abraham lui dit : "S'ils n'entendent pas Moïse et les prophètes, ils ne seront jamais convaincus, même par celui ressuscité d'entre les morts". »

L'ARE aujourd'hui

La richesse des informations accumulées dans les dossiers de Cayce a été à l'origine de la création de la Fondation Edgar Cayce et des organisations qui y sont affiliées. Il s'agit de l'Association for Research and Enlightenment, Inc. (Association pour la Recherche et l'Élucidation) et de l'Edgar Cayce Publishing Co. (Compagnie des publications Edgar Cayce), toutes deux basées dans les mêmes quartiers que la Fondation, à Virginia Beach.

La Fondation s'est engagée dans la tâche gigantesque de cataloguer les centaines de sujets abordés dans les Études de Cayce. En raison de leur ancienneté, les documents originaux se détériorent très rapidement et sont en train d'être mis sur microfilms, pour des raisons de sécurité tout d'abord, pour des raisons de facilité d'accès ensuite. Les sujets abordés touchent tous les domaines de la pensée humaine.

L'Association pour la Recherche et l'Élucidation est une association ouverte à tous, à but non lucratif telle que définie dans la loi du Commonwealth of Virginia, dans le but d'entreprendre des recherches dans le domaine de la parapsychologie et du psychisme. Elle se consacre à l'analyse des Études d'Edgar Cayce et entreprend de nombreuses expériences d'ordre psychique ou parapsychologique. Elle prend une part active et encourage toutes les investigations entreprises par des personnes qualifiées dans les domaines de la médecine, de la psychologie et de la théologie. Les membres actifs de l'ARE, comme on les appelle généralement, sont des gens appartenant à toutes les religions et de toutes nationalités. Étrangement, ils semblent tous capables de réconcilier leurs différentes fois avec la philosophie métaphysique qui se dégage des Études d'Edgar Cayce. Ils viennent aussi de toutes les classes sociales : on y trouve des médecins, des juristes, des pasteurs, des artistes, des hommes d'affaires, des enseignants, des étudiants, des ouvriers et des femmes au foyer.

L'Association donne de nombreuses conférences au siège de Virginia Beach, ainsi que des conférences régionales à New York, Dallas, Denver, Los Angeles et d'autres grandes villes américaines.

La Fondation Cayce et ses organisations affiliées occupent un grand bâtiment de trois étages, situé sur un des points les plus élevés de Virginia Beach, en bordure de l'océan Atlantique.

Des centaines de visiteurs viennent chaque année. En plus de la bibliothèque et des bureaux, la Fondation met à leur disposition des chambres d'invités, une cafétéria, un vaste hall et une imprimerie. Le nombre des membres de l'Association et l'intérêt qu'y porte le public ne cessant de croître, ce ne sont pas moins de trente-cinq personnes, pour la plupart des volontaires, qui travaillent à Virginia Beach, répondant aux nombreuses questions des visiteurs, mettant à leur disposition les ouvrages de la bibliothèque, leur donnant des détails sur les conférences et sur la littérature annexe qu'ils peuvent consulter. Les visiteurs peuvent bien entendu visiter le bâtiment et voir le coffre-fort qui renferme les documents originaux des Études.

Pour celui qui serait encore sceptique, il est une réponse de circonstance; elle est d'Abraham Lincoln : «Aucun homme ne dispose d'une mémoire assez bonne pour mentir avec succès.»

Lithographié au Canada
sur les presses de
Metrolitho inc. – Sherbrooke